C000302421

Jean Mattern est né en 1965 dans une famille originaire d'Europe centrale. Il vit à Paris et est éditeur aux éditions Gallimard.

Jean Mattern

LE BLEU DU LAC

ROMAN

Sabine Wespieser éditeur

TEXTE INTÉGRAL

ISBN 978-2-7578-7959-7
(ISBN 978-2-84805-302-8, 1ʳᵉ publication)

© Sabine Wespieser éditeur, 2018, pour l'édition en langue française

À Jean-Mathieu

I got lost in his arms, and I had to stay
It was dark in his arms, and I lost my way
From the dark came a voice, and it seemed to say
There you go, there you go

How I felt, as I fell, I just can't recall
But his arms held me fast and it broke the fall
And I said to my heart as it foolishly
Kept jumping all around

I got lost
But look what I found

IRVING BERLIN

Je devrai jouer tout à l'heure, je n'ai pas le choix, mais pourquoi toujours cette peur d'arriver en retard, je ne sais pas d'où ça me vient, pendant toute mon enfance, je craignais d'arriver à l'école après les autres, et de trouver porte close après la cloche, et l'angoisse ne m'a jamais quittée, du temps où je donnais beaucoup de concerts mes journées étaient faites de cela, l'attente du récital, l'heure marquée sur les billets des spectateurs en ligne de mire de toutes mes pensées, et bizarrement, j'étais plus inquiète d'arriver en retard que de mal jouer ou d'être victime d'un trou de mémoire, je calculais et recalculais dix fois la durée du trajet entre l'hôtel et la salle du spectacle, et quand je me produisais à Londres, je passais ma journée à peser le pour et le contre des différentes options, taxi ou métro, voiture ou bus, je me renseignais sur l'état de la circulation, quand Sebastian se trouvait à la maison, je l'agaçais avec mes questions, pourtant il a toujours été difficile de lui faire perdre son calme, heureusement que la plupart du temps il était au bureau ou en déplacement et je pouvais me laisser aller à mes petits rituels sans me sentir embarrassée devant un témoin, je devenais maniaque et je le savais, je rangeais dix fois mes partitions, je courais à la cuisine pour écouter les informations à la radio, retournais au piano, je pensais « Joue, ça va te calmer », puis non, je me disais qu'il était trop tard pour répéter, que les dés étaient jetés de toute façon, puis je levais les yeux vers la grande horloge du salon pour m'assurer une énième fois que je n'étais pas en train de me mettre en retard. Maintenant James ne m'attend plus, il n'attend plus personne d'ailleurs, et pourtant : même cet ultime rendez-vous ravive encore la ridicule angoisse de ne pas être à l'heure, ni à la hauteur, ni à ma place. Quelle idée aussi d'avoir accepté de jouer pour lui une dernière fois, de jouer tout court, je m'étais juré de ne plus me produire en public, j'avais décidé de laisser tout cela derrière moi, les mains moites et les genoux qui tremblent, les gens croient toujours que c'est du chiqué, ils n'ont aucune idée combien de grands musiciens passent les dernières minutes avant le lever du rideau enfermés dans les toilettes à vomir ou à se taper la tête contre la porte de leur loge, et quand bien même Sebastian me disait toujours qu'il vaut mieux que ce soient les genoux qui tremblent plutôt que les mains quand on est pianiste, je lui répondais que j'aurais mieux fait de ne pas l'écouter, je serais encore simple professeur de piano et je ne connaîtrais ni tremblements ni moiteur, mais une vie tranquille dans notre belle maison de Wimbledon que je viens de quitter presque en courant, pourtant Home Parkway n'est vraiment pas loin de la gare, j'ai toujours aimé notre rue en descente en face du golf, les maisons d'un seul côté, le lac qui scintille au soleil, si je n'étais pas aussi pressée j'irais voir, nous avons tellement de chance d'habiter ici, j'adore quand les canoës évoluent sur la surface lisse de l'étang dans le parc, en contrebas, mais voilà, je n'ai pas le temps aujourd'hui. Tout ça parce que Sebastian avait réussi à me convaincre, à force de me traiter de Madame Bovary du piano, il est vrai que j'avais commencé à craindre l'enlisement au conservatoire, à attendre sans savoir quoi et à me demander ce que voulais faire de ma vie. « Je ne veux pas que tu aies des regrets », disait-il, alors je l'ai laissé faire, passer quelques coups de fil malgré mes réticences, il soutenait que ça ne coûtait rien d'essayer, quand on est directeur du service culturel de la BBC tout le monde vous prend au téléphone, et quand Pogorelich a annulé ce soir-là et qu'on m'a demandé de le remplacer au pied levé – un des amis bien placés de Sebastian avait tenu parole en glissant mon nom à quelques directeurs de salle – je m'étais déjà convaincue que ce coup de pouce ne me permettrait pas d'aller bien loin si mon jeu ne valait pas grand-chose, des relations ne tiennent pas lieu de talent après tout, mais je n'avais rien à perdre, je voulais à la fois tenter ma chance et croire que tout serait terminé le lendemain, que cette carrière de concertiste jamais osée serait finie avant d'avoir commencé, tout le monde n'est pas Anthony Hopkins, qui a connu sa première ovation au théâtre suite au forfait d'un soir de Laurence Olivier, parti à l'hôpital pour une appendicite aiguë, ou Pavarotti qui triomphe en remplaçant au pied levé Giuseppe di Stefano dans *La Bohème*, j'ai connu des musiciens de Covent Garden qui en parlaient encore trente ans plus tard, j'étais persuadée que cela n'arrive qu'aux autres, et cela me convenait très bien. Enfin, c'était ce que je pensais, et c'était sans compter sur le public de Wigmore – ce soir où personne d'autre ne devait être disponible, pour qu'on pense à moi, l'inconnue absolue, la dernière sur la liste, j'en suis sûre –, les gens debout à la fin du récital, la salle était seulement aux deux tiers remplie il est vrai, certains étaient tout de même repartis en apprenant le forfait du jeune prodige croate, mais ceux qui étaient restés *en avaient eu pour leur argent*, c'étaient les mots du critique du *Times* le lendemain matin, il m'appelait *la nouvelle prophétesse du piano au sourire énigmatique* et, comme si ce n'était pas suffisant, il en rajoutait, me qualifiant d'*amante ardente de Brahms*, aucun superlatif ne m'était épargné, ni au lecteur, et il parlait aussi de *maturité*, de *passion* et de *détermination*, bref il criait au génie et il était visiblement fier d'en être le découvreur, et dans l'heure les grands agents de Londres, Paris et New York ont cherché à me joindre et je devais bien me rendre à l'évidence : mon existence venait de prendre un tournant imprévu et il me fallait réfléchir à ce que je voulais. Sauf que je n'en savais rien, j'étais déjà devenue quelqu'un d'autre, désormais on évoquerait ce concert mythique de Wigmore à voix basse entre initiés pour dire « J'y étais » et me voilà à mon insu transformée en prêtresse d'une secte de grands mélomanes convaincus d'avoir découvert en moi la nouvelle Martha Argerich, mon avis ne comptait plus, on m'avait déjà pris ma vie d'avant, on chuchotait désormais dans mon dos quand j'arrivais au conservatoire ou quand nous sortions avec Sebastian, mais j'ignorais encore à l'époque que cette gloire soudaine – car même dans le milieu restreint de la musique classique le succès change tout – ne représenterait pas le défi le plus difficile que j'aurais à relever, il me restait une année à vivre avant la rencontre avec James, le pire était encore à venir, ou le meilleur, je l'ignore et je ne veux plus y réfléchir. Surtout pas ici et maintenant, engoncée dans cette robe noire qui gratte, ce ne sera pas mieux dans quelques minutes quand je serai dans un de ces wagons qui ballottent les passagers, rien n'a changé dans le métro londonien depuis le temps où il était devenu mon allié ou mon ennemi, c'était selon, pour arriver à l'heure à nos rendez-vous secrets, en général l'après-midi, à l'époque je ne réfléchissais pas aux trains qui me brinquebalaient, je ne réfléchissais pas tout court, je voulais seulement aller vite, me jeter dans ses bras, oublier qui j'étais et rester cachée derrière mes lunettes noires pour que personne ne s'aventure à me demander un autographe alors que je me rendais chez James ou dans une salle de boxe à West Ham où je le retrouvais parfois à la fin d'un de ses entraînements. Je l'entends encore me dire que personne dans ce quartier populaire de l'est de Londres ne saurait reconnaître une célèbre interprète de Brahms et de Rachmaninov, et surtout pas dans ce club de sport fréquenté par de solides gaillards qui n'avaient certainement jamais mis les pieds ni au Royal Albert ni au Wigmore Hall et qui, selon lui, risquaient d'être impressionnés seulement par mon décolleté ou la nouvelle jupe droite que j'avais mise en son honneur, car j'aimais quand James me donnait rendez-vous dans ce lieu mal famé qui sentait la sueur et le cuir, j'aimais le voir à l'entraînement, sautiller sur le ring en face d'un inconnu – ses partenaires aux épaules larges étaient tatoués une fois sur deux –, les bras repliés dans cette position étrange destinée à la fois à pouvoir frapper par surprise et à se protéger le visage autant que possible, cela me permettait d'observer ce corps dominateur et fragile dans toute sa splendeur, car oui, James était splendide, et le regarder ainsi me plaisait infiniment. Aujourd'hui, ni décolleté ni jupe serrée – me voilà arrivée à la station de métro, Wimbledon Park, sur le quai numéro un –, une robe toute simple à la place, sobre, et personne ne saura qu'elle est trop chaude pour la saison et qu'elle me gratte, ce sera mon petit enfer personnel, une façon d'expier mes fautes peut-être, en secret, seule sur une de ces chaises en bois clair disposées dos à dos au milieu de la plateforme, si seulement je croyais à l'existence du péché et à la possibilité d'effacer mes fautes par un tour de passe-passe avec le bon Dieu, si seulement j'espérais encore obtenir les joies de l'absolution et les vertus du pardon, mais je connais le poids de mes actes, je le connais au gramme près, et à ce jour je n'ai trouvé aucun moyen pour m'en délester, peut-être parce que l'addition de nos fautes fait aussi le prix d'une vie, et s'il reste quelque chose de la mienne, ce seront ces quelques notes que je jouerai pour lui tout à l'heure, en me souvenant de cette manière bien à lui de paraître le plus innocent et le plus attrayant des hommes quand il dégoulinait de sueur dans la lumière blafarde d'un gymnase poussiéreux. Si le trafic est normal, il me faudra moins de vingt minutes jusqu'à South Kensington, puis ma correspondance, l'escalier qui descend du quai, ensuite ce long couloir et encore un de ces escalators interminables pour attraper la Piccadilly Line, mais je ne sais pas pourquoi je me récite le trajet que je connais par cœur, je ne suis même pas encore dans le bon train. Dire que ma nervosité n'a pas pu échapper à Sebastian, il m'a vue partir angoissée comme jamais, je me demande ce qu'il a bien pu en penser, pourtant j'ai essayé de minimiser toute cette affaire et d'en dire le moins possible, il n'est pas idiot, mais j'ai fait ce que j'ai pu et maintenant… J'ai été sotte d'avoir accepté sans la moindre hésitation ce chantage post-mortem, j'aurais dû réagir quand cet exécuteur testamentaire m'a appelée, demander un délai de réflexion, pourquoi devrais-je me plier à un dernier caprice qui m'oblige à enfiler une robe noire trop chaude et à me retrouver dans ce métro bondé, ça y est, le train arrive, dans quelques secondes je serai debout et serrée contre des gens qui n'ont pas la moindre idée du courage qu'il m'a fallu pour sortir de chez moi ce matin, pourquoi ai-je accepté d'accomplir la dernière volonté de James, pourquoi me suis-je dit que je pourrais jouer ce deuxième *Intermezzo* de Brahms, me persuadant que je serais capable de l'interpréter comme un tango langoureux, avec toute la sensualité dont je suis capable, quitte à ce que l'assistance se demande ce qui m'arrive, qu'on chuchote « Elle a perdu la main, elle ne connaît plus ses classiques », car l'on reconnaîtra à peine le morceau que j'ai gravé sur disque il y a vingt ans déjà – un de ces enregistrements qui ont contribué à cimenter la légende de la *prophétesse du piano* –, mais au diable tous ces mélomanes obtus, tous ces amis de James que je ne connais pas et qui ne savent pas que je me réveille tous les jours avec l'illusion de sentir sa main sur ma joue, et sa mort n'y changera rien, tout comme ses absences n'ont jamais pu me reprendre ce qu'il m'avait donné dès ce premier soir. Le cadeau d'une vie que je ne saurai jamais lui rendre, alors autant faire le peu dont je suis capable malgré tout, me hisser sur un tabouret de piano préparé pour moi sur cette estrade, au-dessus de cent, cent cinquante personnes, peut-être plus, rassemblées en l'église de Saint-Anselme et de Sainte-Cécile, je ne sais pas qui a payé pour monter un piano à queue là-haut, cet exécuteur testamentaire dont j'oublie le nom m'a expliqué qu'il n'y avait pas assez de place dans le chœur et qu'il me faudrait jouer sur un piano placé en surplomb à côté de l'orgue, leur donner à entendre ce morceau de Brahms comme si la musique descendait sur eux, mais tant mieux, on ne me verra pas transpirer dans ma robe noire, et aucun ami, aucune connaissance de James parmi ceux venus lui rendre un dernier hommage ne pourra imaginer autre chose qu'un simple geste de générosité de la part de la célèbre pianiste Viviane Craig pour embellir le service funéraire d'un homme dont elle a dû croiser le chemin ici ou là, après tout, il était critique musical, compositeur et professeur de musicologie à la Purcell School, et elle… Non, personne ne m'aura jamais vue avec lui, personne n'aura eu le moindre soupçon, jusqu'à sa mort, et maintenant je doute fort qu'un ancien camarade de *sparring*, s'il devait s'en trouver un qui ait eu l'idée de se rendre à l'enterrement de ce drôle d'intello féru de boxe, me reconnaisse ou, plutôt, reconnaisse en moi la femme à la jupe droite qui l'attendait parfois au club de sport de West Ham, il y a tant d'années déjà. Et pourtant, venir à bout de ces cinq minutes trente, je ne suis pas sûre d'y arriver, heureusement personne ne peut voir que mes genoux tremblent comme lors de mes premières années sur scène, quand bien même dans ce métro quelqu'un lèverait-il les yeux sur moi, aurait-il l'idée que cette femme entre deux âges – avec un peu d'indulgence et en tenant compte du fait que la nature m'a plutôt épargné les stigmates de la vieillesse, jusque-là on peut encore dire ça –, que cette femme-là est invitée à jouer au piano sur l'estrade d'une église catholique près de Lincoln's Inn, comme un dernier adieu à l'homme qu'elle a passionnément aimé ? Devant, ou plutôt au-dessus d'une assemblée dont personne ne doit découvrir – pour rien au monde – qu'il était son amant ? Qui dans ce métro pourrait deviner que cette femme dans sa petite robe noire est certes une célébrité, mais surtout une femme qui ne sait comment garder pour elle le chagrin qui lui déchire la poitrine, et qu'elle se demande comment ravaler ses larmes, ne montrer aucun signe qui traduirait autre chose que la tristesse de façade que l'on affiche dans ce genre de circonstances ? Quoi de plus codifié que des funérailles

pour une personnalité publique ? J'étais complètement folle d'accepter ce marché, je ne sais pas pourquoi je n'ai pas réfléchi, cet exécuteur testamentaire
a été courtois au téléphone, courtois et très formel,
rassurant aussi, il serait là pour m'indiquer à quel
moment ma *prestation* était prévue, disait-il, précisant
que c'était James lui-même qui avait fixé jusque
dans les moindres détails le déroulement de la cérémonie, sans savoir quand elle aurait lieu, bien sûr,
car l'enveloppe contenant ses indications lui avait
été remise il y a bien des années déjà. Je n'avais
jamais entendu parler de ce notaire ou avocat à qui
James avait visiblement demandé de régler sa suc-
cession pour ne rien laisser à la charge de ses proches
susceptibles de se sentir concernés, mais la vie de
James avait toujours recelé plus de questions que de
réponses pour moi, et je n'avais jamais vu ni entendu
parler d'une enveloppe marquée *Mes dernières
volontés* ou autre chose de ce genre, et je me dis
que même la malheureuse femme de ménage qui a
trouvé James devait en savoir plus que moi, après
tout elle n'a pas hésité une seconde à appeler ce
mystérieux Chad Wilkinson, ça y est, son nom me
revient, lui qui était visiblement déjà en possession
d'un testament depuis des années, et qui non seulement m'a annoncé la mort de James, mais qui
s'improvise aussi maître de cérémonie maintenant,
c'est lui, cet inconnu dont je découvrirai le visage
tout à l'heure en arrivant à l'église, qui me donnera
le signal pour que je puisse me mettre au piano et,
enfin... Fallait-il que le chef d'orchestre de la dernière représentation publique de James porte un

prénom aussi ridicule, on dirait un joueur de base-ball du Midwest, pourtant il s'est adressé à moi avec l'accent le plus caricaturalement snob que j'aie entendu depuis longtemps, souhaitait-il me signifier en une phrase qu'il a été éduqué dans les meilleures écoles du royaume, comme si cela pouvait avoir une importance quelconque, pour moi il restera toujours l'homme qui m'a appris la mort de James et rien d'autre, et ni son accent des beaux quartiers ni son ton neutre n'auront désamorcé la charge explosive de ce qu'il avait à me dire, même si j'ai joué ma part dans ce jeu de dupes moi aussi, je l'ai remercié poliment de m'avoir informée de cette triste nouvelle en l'assurant que j'attendrais la suite de ses instructions, je resterais à sa disposition, bien entendu, j'ai raccroché et j'ai laissé la bombe éclater en moi, silencieusement, la douleur se diffuser, atteindre mon cœur, ma poitrine, mon bas-ventre, mes jambes, mes orteils, mon cerveau, le dernier membre de mon corps, me dire que c'était fini, qu'il n'y avait rien à faire, juste à être là, regarder le téléphone puis penser que ce prétentieux de Chad Wilkinson avait omis de me dire si la femme de ménage avait trouvé James nu sur son lit, il aimait tant dormir sans pyjama et avec ces premières chaleurs de juin il n'avait certainement pas mis d'édredon, j'aimerais savoir si elle l'a d'abord recouvert, avant de donner l'alerte, ou si elle en a profité pour le reluquer un peu : je suis sûr que le sexe de James Fletcher, même après sa mort, était encore plus beau que tout ce que cette pauvre femme de ménage n'a jamais vu, d'ailleurs il en était fier de manière un peu puérile, il en prenait soin, taillait ses poils, mettait de la crème hydratante et parfois je lui disais qu'il faisait plus attention à son sexe qu'à son nez, cassé à plusieurs reprises pendant ses entraînements de boxe, et cela l'amusait que je lui parle ainsi, maintenant je n'en aurai plus jamais l'occasion, pas plus que je pourrai demander à la femme de ménage si le sexe de James dans sa mort à cinquante-cinq ans était toujours aussi splendide que de son vivant. Au moins elle n'a pas eu à lui fermer les yeux, car d'après Wilkinson, toujours lui, il est mort d'une apnée du sommeil, ou plus exactement des conséquences de ce mal dont il se savait atteint depuis quelques années, mais contre lequel il refusait de prendre la moindre mesure, un homme qui met un point d'honneur à dormir au naturel ne peut pas accepter de se coucher avec un appareil respiratoire sur le visage, sauf à capituler devant sa propre faiblesse, le début de la vieillesse, et cela n'était certainement pas le genre de James d'abandonner aussi facilement, puis le cœur qui s'arrête, épuisé par ces caprices à répétition, entraînant une mort silencieuse et sans douleur, cela l'arrangeait bien, comment lui en vouloir d'ailleurs, qui ne rêve pas d'une fin aussi élégante, s'en aller sur la pointe des pieds en quelque sorte, surtout quand on sait que l'enveloppe kraft se trouve à sa place et qu'avec l'aide de tous les Chad Wilkinson de la terre personne ne sera dérangé outre mesure par ce cadavre discret et prévoyant, mis à part ceux et celles à qui il aura brisé le cœur ou le nez par sa gueule d'ange et sa candeur, son uppercut imparable et son sexe majestueux, combien serons-nous dans l'assistance à le pleurer secrètement, je ne le saurai jamais et les autres ne devineront pas non plus pourquoi il m'a infligé de jouer du Brahms dans cette église certainement trop sonore pour du piano seul, tant James aura protégé ses secrets jusqu'au bout, James ne me posait pas de questions sur Sebastian non plus, ni sur le comment et pourquoi de notre relation, il était assez intelligent pour pressentir que cela aurait été le début de la fin, nous ne voulions ni l'un ni l'autre de ce genre de curiosité, cela nous paraissait vulgaire, il nous importait de ne pas nous abaisser à cela, aucun de nous deux n'était taillé pour le vaudeville, même s'il est plus difficile de jouer au couple mythologique que cela en a l'air, la force du sentiment et aussi la puissance du désir – ou la combinaison des deux ? – ont failli déjouer nos plans et nos prétentions plus d'une fois, et Dieu sait que j'ai aimé James et qu'il m'a aimée en retour, et Dieu sait aussi que nous étions doués pour nous aimer, et nous faire jouir l'un l'autre. Si Chad Wilkinson ne s'était pas montré aussi ridiculement formel et coincé lors de notre conversation, je lui aurais demandé s'il n'était pas possible d'enterrer James nu dans son cercueil ou, mieux encore, enveloppé d'un simple linceul, je suis certain qu'il aurait approuvé cette idée, lui qui aimait tant son corps nu, il ne s'en cachait pas, et j'ai adoré son physique autant que la facilité avec laquelle il l'exhibait, les images de son corps imprimées sur ma rétine me tenaient lieu de viatique pendant ces parenthèses où nous essayions de ne pas nous voir, car je ne saurais dire combien de fois nous nous étions juré de nous retrouver moins souvent, de rester prudents et d'atténuer la force de ce lien, faute d'avoir le courage de mettre fin à notre relation, combien de tentatives avons-nous faites pour échapper à cet amour trop grand pour nous ?

Ce trajet de Wimbledon au centre de Londres me semble incroyablement long, je ne suis pas sûre d'avoir prévu assez de temps et je n'arrive pas à penser à autre chose qu'à cet *Intermezzo* de Brahms qu'il va falloir exécuter dans moins d'une heure, j'aurais dû prendre un livre avec moi, quand je prenais le métro pour West Ham – beaucoup plus à l'est que mon arrêt d'aujourd'hui –, il m'était aisé d'anticiper nos retrouvailles en me remémorant notre rencontre d'avant, et derrière mes lunettes noires et mon visage impassible je passais le film de nos étreintes en boucle dans ma tête, je revivais les caresses de James au point d'oublier le temps et mon angoisse d'arriver en retard à son club de boxe, alors que, là, ce train n'avance pas et c'est seulement une assemblée vêtue de noir et aux mines contrites qui m'attend, peut-être ce serait mieux de ne jamais atteindre Holborn du tout, je pourrais encore faire semblant d'y croire et feindre que j'attends un appel de James pour l'entendre me dire « Reviens » ou simplement « Mardi prochain à quatre heures ? », mais même le métro londonien finit toujours par se remettre en mouvement et par détruire mes chimères, il faudrait que je me ressaisisse un peu si je ne veux pas passer pour une gourde tout à l'heure, pour l'instant je ne suis pas du tout en état de plaquer ne serait-ce que trois accords simples, alors Brahms, n'en parlons pas. Dire tous ces instants

24

où j'en avais assez que l'on me demande toujours le compositeur avec lequel j'avais si miraculeusement débuté ma carrière, les programmateurs et directeurs de salle, les festivals, mon agent Betty, Sebastian, et même James, jusque dans la mort – j'avais envie de jouer du Bach, du Mozart, mais personne ne voulait m'entendre dans ce répertoire, il leur fallait du Chopin, du Rachmaninov et, pour finir, du Brahms, toujours et encore du Brahms, c'est seulement à James que je pardonne, car il a été le seul à justifier ses choix en expliquant que Brahms était sexy et que ça le faisait bander, il est vrai que James savait changer de registre et se muer en mauvais garçon quand ça l'arrangeait, même si l'idée qu'il ait réellement pu jouir à la fin de mon premier concert à Wigmore, comme il le prétendait, me laisse toujours perplexe ; en tout cas, il était venu dans l'espoir d'écouter le jeune Pogore-lich dont il trouvait la mèche tout aussi séduisante que la musique de Brahms et, après l'annonce de son forfait, il est d'abord resté m'écouter par fainéantise, il avait la flemme, disait-il, de repartir chez lui ce soir-là. J'ignorais tout de son existence à ce moment-là et encore plus qu'il était dans l'assistance, mais c'est bien dans cette même salle que nous avons réellement fait connaissance un peu plus tard, j'étais moi aussi dans le public cette fois-ci, à vrai dire je croulais sous les invitations, et souvent Betty me conseillait de me montrer, elle m'accompagnait même parfois pour me présenter aux chefs d'orchestre, mais ce soir-là j'étais seule, elle ne devait pas être libre et Sebastian avait été retenu à la dernière minute à la rédaction, je m'en souviens car cela m'avait agacée, j'étais à la rangée E, et lui, juste trois places plus à droite un rang derrière moi, idéalement placé d'abord pour me reconnaître – j'étais déjà *célèbre* depuis un peu plus d'un an –, puis pour me dévisager pendant tout le concert, après avoir croisé mon regard brièvement au moment de s'asseoir alors que je venais de tourner la tête, il est vrai, vers le fond de la salle, puis une deuxième fois, me croyant discrète, pour retrouver ce visage angélique entraperçu quelques instants plus tôt, mais, en lieu et place d'un peu de discrétion, j'ai rencontré ses yeux clairs et perçants posés sur moi sans la moindre ambiguïté, puis cette certitude d'être observée ne m'a pas quittée de tout le concert – un jeune quatuor à cordes qui se débrouillait plutôt bien avec du Schubert –, je balançais seulement entre plaisir et déplaisir de me savoir ainsi déshabillée du regard, et plus le quatuor progressait vers le dernier mouvement de *Rosamunde*, plus je me sentais exposée, nue, livrée à ce bel inconnu dont l'insolence se fichait visiblement des convenances. Au prix d'un effort considérable, j'avais réussi à ne pas me retourner vers lui à la fin des applaudissements, mais c'était compter sans son impudence : il m'attendait à la sortie, au bout de ce petit couloir qui relie la salle à la rue, et ne me laissait aucune possibilité de lui échapper, et lui de me dire avec le plus grand naturel qu'il avait ruiné deux pantalons en deux sorties à cause de moi – je ne comprenais pas alors qu'il faisait allusion au concert qui m'avait lancée quelques mois plus tôt – et que je lui devais bien un déjeuner pour ça. Il ajouta « Au moins », en souriant très légèrement, et j'ai su à cet instant que je ne trouverais peu voire aucune résistance à opposer à celui qui allait se présenter comme James Fletcher quelques instants plus tard. Il n'était pas encore question de sentiments entre nous, il faut être une oie blanche de seize ans pour croire à ces histoires de coup de foudre, alors que, moi, j'avais de l'expérience et du succès, j'étais une épouse et une mère épanouies. Laura devait terminer son primaire cette année-là, et avec Sebastian nous avions déjà fait notre révolution sexuelle (à l'unisson de toute une génération sans doute), mais, ce soir-là, j'ai appris que le désir d'un homme pouvait me faire chavirer en dehors des limites que je m'étais fixées, me faire aller là où je n'avais jamais pensé m'aventurer, me perdre peut-être, ou me retrouver, je ne le savais pas encore le soir du quatuor à cordes, de *Rosamunde* et du pantalon prétendument taché, je savais seulement que j'avais fait bander un autre homme que le mien, par la simple vue de ma nuque dégagée, sans doute aussi percevais-je pour la première fois un réel avantage à cette célébrité qui m'encombrait plutôt le reste du temps, je pressentais que ce statut de vedette que l'on remarque me conférait un nouveau potentiel de séduction, et ce pouvoir de susciter un tel désir me plaisait infiniment. Toutes les théories sur le manque et le vide à combler ne valent rien, je mentirais si je prétendais m'être ennuyée dans ma vie ou si je soutenais que Sebastian n'était pas un bon mari, il était là, à sa manière, lui aussi avait déjà connu son heure de gloire avec ce documentaire sur les Jeux de Munich, des récompenses et des prix, le début d'une belle carrière, et même si cette période avait modifié l'équilibre des premières années d'une façon que je n'arrivais pas à m'expliquer, et même si Sebastian avait sans aucun doute changé après ce séjour à Munich et que j'avais l'impression qu'il m'échappait un peu, j'avais conscience d'être moi-même sur mes gardes, par tempérament et par nature, sans parler de ce besoin de me retrouver seule de temps en temps, alors ce serait hypocrite et surtout inutile de chercher des explications ailleurs, je n'ai pas besoin de me construire une version plus acceptable de mon histoire avec James, elle se terminera tantôt de toute manière, car l'heure, irrévocable, a sonné et il nous restera quelques notes de piano, rien d'autre, alors peu importe si tout cela rime à quelque chose ou pas, j'aimerais seulement sortir de ce wagon sinon je vais étouffer avant d'arriver à Holborn. Pourtant, savoir si les choses *faisaient sens* avait été la préoccupation constante de mon père, et dans mon éducation oh combien conventionnelle et donc totalement inopérante pour me préparer aux difficultés de mon existence, tout comme à l'amour et au sexe, cette obsession paternelle a surnagé comme une maxime somme toute utile, même dans une affaire aussi peu rationnelle que celle à laquelle je dois mettre fin tout à l'heure par l'*Intermezzo en si bémol mineur*, simplement parce que j'ai toujours su que mes sentiments et mon désir pour James, au-delà de la morale et au-delà de toute vraisemblance, donnaient une signification à mes heures, mes jours, mes nuits, j'y puisais peut-être même la force et une raison pour continuer à aimer Sebastian à ma manière, à être heureuse à ses côtés, et sans le moindre doute possible ils m'ont permis de devenir et de demeurer la pianiste que je suis, c'est déjà beaucoup dans une vie, au diable donc les idées toutes faites sur l'adultère et la double vie, ce sont des mots creux et, si nous avons autant tenu à préserver le secret de notre *liaison*, c'était avant tout pour éviter de nous heurter à cette incompréhension – même de la part de nos meilleurs amis, même dans nos milieux progressistes –, qui aurait introduit dans notre relation une dimension dont nous ne voulions à aucun prix. Être en dehors de toute considération morale ne signifie pas être sans moralité, mais quand je regarde autour de moi dans ce train de la District Line – d'ailleurs South Kensington et mon changement approchent –, je ne me fais aucune illusion sur le nombre de gens capables de comprendre, de *vraiment* comprendre, ou au moins de ne pas désapprouver, et ce ne sera pas très différent tout à l'heure dans l'illustre assemblée en l'église de Saint-Anselme et de Sainte-Cécile, je me demande d'ailleurs si James a choisi son appartement dans le quartier pour sa proximité avec la paroisse consacrée à la patronne de la musique, rien que pour s'offrir ce dernier clin d'œil : lui, James Fletcher, compositeur et musicologue, voué à l'anonymat en tant que tel, puis devenu presque par hasard le grand vulgarisateur télévisuel de la musique dite classique, celle dont il n'aimait qu'une poignée de compositeurs (mais, cela, peu de gens le savaient), rassemble ses rares amis puis un grand nombre de *relations* sous le patronage de cette martyre dont la légende dit qu'elle aurait chanté en tendant son cou à son exécuteur. Un peu de snobisme ne fait jamais de mal à quelqu'un qui vient de là où tu ne mettras jamais les pieds, me disait parfois James en faisant allusion à ses origines modestes, mais je le soupçonne d'avoir eu d'autres motifs, en dehors de cette petite coquetterie musicale et religieuse qui n'échappera pas à certains commentateurs du beau monde, mais dont le mieux informé et le plus perspicace ne percevra pas l'ironie qui consiste à faire jouer sa maîtresse sous le vitrail de la si vertueuse Cécile, celle qui préféra mourir plutôt que de renoncer à son vœu de virginité… Quand on doit se rendre à deux enterrements en l'espace de dix mois, on ne comprend pas très bien ce qui peut justifier un tel choix, je ne sais pas quel âge cette fichue sainte Cécile pouvait avoir, moins que Laura sans doute, morte à trente-trois ans à peine, et elle n'a rien choisi du tout, seulement glissé dans sa douche, c'est moins glorieux que d'aller à l'échafaud en entendant des chants célestes, ma fille n'entrera jamais dans la légende et ne sera pas vénérée dans des églises à Lincoln's Inn ou ailleurs, elle nous laisse seulement son drôle de mari français et un petit garçon qui ne se souviendra pas très bien de sa mère, dire que Gabriel m'a annoncé la semaine dernière qu'il comptait déménager à Paris, ainsi nous aurons non seulement perdu notre fille mais aussi notre petit-fils qui vivra bientôt dans un autre pays, Sebastian a beau me dire qu'il sera à seulement trois heures de train, il sait comme moi que tout sera différent, j'ai à peine eu le temps de digérer cette nouvelle que le téléphone a sonné avec ce M. Chad Wilkinson à l'autre bout, et maintenant je dois changer de train et je ne peux même pas montrer mon chagrin à Sebastian, lui dire que je me sens comme amputée pour la deuxième fois de ma vie, je ne peux le dire à personne, le deuil d'une mère pour sa fille, tout le monde le comprend et compatit, mais le deuil d'une femme mûre pour son amant ? J'ignore comment je vais y arriver, mais je dois jouer pour James, je dois seulement jouer pour James, c'est tout ce qui me reste à faire. Par chance je suis en avance finalement, c'est direct jusqu'à Holborn à partir d'ici, personne ne m'a préparée pour ce rôle, je ne suis pas sûre d'être taillée pour ce genre d'exploit, et cette robe noire qui me gratte en plus, chagrin est un mot si ridiculement en dessous de la vérité que cela ne m'aide même pas de me dire que j'en ai, je cherche les morceaux qu'on m'a arrachés et je sais que je ne les trouverai ni au cimetière de Wimbledon Park ni dans cette église de Saint-Anselme et de Sainte-Cécile. J'ai si peur de toutes les banalités que l'on va débiter sur James, ses collègues de la télé vont louer son esprit d'équipe, son patron va évoquer son charisme, le prêtre va certainement nous dire qu'il cherchait Dieu et personne ne sera là pour décrire son visage quand il jouissait, cet éclat dans ses yeux quand je le faisais rire, personne ne parlera de sa main, cette main qu'il posait sur ma joue avec une tendresse infinie, une tendresse dont lui seul était capable, car elle n'était pas de ce monde. Ces quelques notes de musique devront donc suffire, voilà pourquoi je suis dans ce métro où je manque d'air, d'ailleurs je crois que je vais souffler un peu à la prochaine station, à Earl's Court le quai est à découvert il me semble, j'ai le temps de rester un peu sur un banc pour essayer de respirer, me concentrer sur cette dernière représentation qu'il me demande d'assurer, lui qui m'a toujours si judicieusement conseillée sur mes engagements, bien mieux que Betty, mon agent, je vais essayer de me convaincre qu'il a raison une fois de plus, une dernière fois.

Il y a tout de même une ironie difficile à comprendre dans tout cela : le trajet est identique à celui que je faisais pendant toutes ces années, mais comment imaginer des destinations plus dissemblables ? Un enterrement à la place d'une étreinte, un cercueil à la place de son lit, et dire qu'une question m'a toujours obsédée, toutes les fois où je me rendais chez lui, dans l'anticipation de nos retrouvailles, ou au retour, encore tout emplie de lui : l'idée que mon visage devait me trahir, cela me paraissait inévitable tellement je me sentais différente – mais non, le masque que nous apprenons tous à porter ne laisse pas filtrer ce bonheur-là, il protège le monde ordinaire de ce trop-plein de félicité, seulement j'ai vraiment trop chaud, je commence à dérailler, je n'ai jamais pensé à de telles sottises avant, James me rendait heureuse, c'est vrai, mais il y a des milliers de gens heureux, non ? Pourquoi me croire à part, spéciale, même si nous avons ressenti l'ombre de la duplicité, les mensonges et surtout les mensonges par omission, nous avions pourtant de la chance, Sebastian était si souvent en reportage et Laura déjà grande au début de notre relation, je pouvais me rendre librement en ville sans avoir à me justifier auprès de qui que ce soit, James n'avait pas d'horaires de toute façon et nous n'avions jamais eu de rituels fixes, je venais dans son appartement sur Remnant Street quand nous en avions envie ou plutôt quand l'un de nous deux s'était laissé déborder par l'évidence, en oubliant le reste, et à ce moment-là la seule chose à faire était de prendre son téléphone pour dire à l'autre « Tu es libre ? » ou « Viens », de céder à notre envie de vivre, car nous nous l'étions dit depuis le début, ce besoin de se voir dans le regard de l'autre, c'était peut-être seulement notre misérable nécessité de nous prouver que nous étions vivants. Est-ce si mal d'aimer afin de se sentir encore en vie ? Est-ce méprisable de juguler ainsi la peur en se jetant dans les bras de l'autre ? James se moquait des gens qui croient à la noblesse des sentiments, il se moquait aussi de moi quand il prétendait coucher avec moi uniquement pour me faire payer *ad vitam æternam* ces deux érections douloureuses et l'embarras du pantalon taché, à Wigmore Hall, et il se moquait encore de moi quand il faisait semblant de réfléchir sérieusement à ma manière d'interpréter les *Intermezzi* de Brahms comme si je caressais un homme, pour conclure il disait qu'il fallait prendre ses responsabilités quand on joue avec un tel sex-appeal et ces rougeurs irrésistibles sur la nuque… mais ses moqueries et son *ad vitam æternam* s'arrêtent aujourd'hui et, maintenant, il a tout bonnement oublié de respirer et s'en est allé, cela a l'air si naturel quand la vie s'échappe sans faire le moindre bruit, comme un simple pas de côté, et je doute fort qu'il ait entendu des chants célestes avant que sa poitrine ne cesse de se soulever, que son cœur ne s'arrête de battre, son sommeil a vaincu sans lutte et sans adversaire, un simple arrêt cardiaque suite à ces apnées à répétition. James s'est retiré avec élégance et sans l'acharnement qu'il pouvait mettre dans ses combats de boxe, et il a seulement oublié que c'est moi qui suis à terre maintenant, seule, irrémédiablement seule à jamais, sans pouvoir de séduction ni envie de jouer.

Combien de temps faut-il pour mourir ainsi ? Une ou deux minutes, ou quelques secondes seulement ? Cela dure-t-il moins longtemps que l'*Intermezzo en si bémol* que je vais arracher au piano dans une heure pour lui ? Heureusement que je suis descendue du train, il y a un peu d'air ici, je me sens mieux, cela prend-il plus ou moins de temps qu'il m'en a fallu pour me décider, ce soir-là, à la sortie de Wigmore Hall, d'accepter son invitation ou, plutôt, de laisser passer son effronterie ? Car ne rien opposer à un étranger qui vous parle de son érection douloureuse, ne pas s'en offusquer comme toute autre femme l'aurait fait, c'était déjà entrer dans son jeu, une forme d'acquiescement facile à interpréter, mais je me suis demandé parfois si j'aurais encore pu inverser le cours des choses ensuite, s'il était encore possible de *résister* – mais résister à quoi, au juste ? Dire que notre vie se joue ainsi en quelques secondes, mourir, tomber amoureux, faire un pas de côté, tout cela en quelques instants, si on veut les additionner, ces rares moments à vraiment infléchir le cours de nos existences, cela ne fait pas grand-chose au bout du compte, comparé à toutes ces heures dans une vie où l'on se laisse seulement porter par le flot, à toutes ces semaines, ces mois où l'on ne fait qu'emprunter la route toute tracée, sans jamais en dévier, sans jamais chercher à s'en écarter. Je n'ai jamais pu répondre à la question de savoir si j'ai *cherché* quelque chose ce soir-là, si j'ai voulu changer de vie, si je pensais même que ce serait possible, ou si j'ai simplement été happée par une force qui me dépassait, Dieu sait pourquoi, à cet instant-là, ces quelques minutes sont encore tellement présentes à mon esprit, et pourtant je ne sais répondre à aucune de ces questions, je sais seulement que j'ai réagi avec une audace dont je me croyais incapable en lui proposant un marché : s'il me promettait de ne plus jamais prononcer les mots *Brahms* et *érection* dans la même phrase, je voulais bien déjeuner avec lui. Après un « Marché conclu ! » prononcé dans un éclat de rire, je me suis dit que j'avais de la chance, Sebastian était en reportage, probablement encore en Israël, j'avoue que j'ai oublié, mais il n'était pas à Londres, c'était l'essentiel, et Laura passait quelques jours avec mes parents à la campagne, je n'avais de comptes à rendre à personne, j'étais libre de mes mouvements, dans le fond je ne voyais aucune raison de ne pas accepter la proposition de cet énergumène visiblement plus drôle que la moyenne, et il fallait bien me rendre à l'évidence, le regard qu'il portait sur moi me faisait du bien, et puis, ce visage d'ange… Combien d'autres que moi dans cette église l'auront touché, quelques-uns de ses anciens partenaires de *sparring* font le déplacement peut-être, mais eux c'était avec de gros gants de cuir pour lui infliger des coups ou lui en rendre, quant aux autres, je doute qu'ils l'aient caressé avec autant de tendresse que moi, je ne ressens aucune honte à revendiquer ce privilège, je le ferai en silence ou, plutôt, en jouant au piano et en évitant de regarder le cercueil, l'idée qu'on enferme définitivement ce visage dans le noir m'est insupportable, lui qui n'était que lumière, mais je veux qu'on me laisse croire jusqu'au bout que je suis celle qu'il aura le plus aimée, rien de plus, je sais que James emportera ses secrets avec lui, inutile d'imaginer que je pourrai me fier à tel ou tel visage éploré ou figé dans le chagrin au premier rang de l'église pour connaître ceux et celles avec qui il a partagé le lit avant moi ou quand je n'étais pas là, le contrat était clair entre nous : il ne me demandait rien sur Sebastian et, en contrepartie, je ne manifestais aucune curiosité pour ses fréquentations, et celles qui auront été plus que de simples occupations occasionnelles obéiront comme moi aux règles non écrites de l'hypocrisie en société, après tout, c'est bien pour me ressaisir et me composer un masque de circonstance que je suis sortie de ce train bondé, il faudrait d'ailleurs que je pense à repartir, mais ce courant d'air me fait du bien et il ne me reste que huit stations pour arriver à Holborn, l'église est à quelques pas ensuite, et l'ineffable Mister Wilkinson a promis de m'attendre sur le trottoir devant, ce sera la seule surprise de la journée, découvrir la tête de ce snobinard d'avocat qui se prend tellement au sérieux dans son rôle d'exécuteur testamentaire et organisateur de funérailles qu'il a poussé le ridicule jusqu'à me demander le minutage exact, et il a bien insisté, *exact*, du morceau que James, ou plutôt James à travers lui, *post mortem* en quelque sorte, m'a demandé de jouer, mais il ignorait qu'il en faut bien plus pour me déstabiliser, même quand j'ai envie de mettre la tête dans un sac et de disparaître, je possède encore assez d'orgueil pour ne pas me laisser faire par un blanc-bec de ce genre, et je lui ai répondu que ça dépendrait de l'inspiration du moment, que cela pouvait être entre quatre et six minutes selon mon humeur, et quand je pense que cet imbécile m'a répondu « Nous nous en accommoderons », j'ai failli m'étouffer de rire, James aurait adoré, rien ne lui faisait plus plaisir que les prétentieux qui se découvraient imbéciles, mais il n'est plus là pour en rire avec moi, je serai seule à affronter Chad Wilkinson, seule à affronter mon chagrin, seule, seule, seule pour toujours.

Si au moins Sebastian était en reportage, comme si souvent, cela m'épargnerait d'avoir à lui jouer la comédie, mais il ne bouge pas de Londres en ce moment, occupé à se battre contre des moulins pour boucler son documentaire consacré à la vie cachée de Lord Louis Mountbatten, c'est sans doute de ma faute, à force de lui raconter l'obsession de ma grand-mère pour cet homme qu'elle avait croisé je ne sais où et dont elle parlait sans cesse, certainement parce que le grand-père de Lady Mountbatten avait été ce qu'on appelait à l'époque « une des grandes fortunes juives du pays » et que ma grand-mère, quoique d'origine plus modeste, se sentait des affinités avec Lady Edwina à cause de cela, ou peut-être parce qu'elle l'admirait tout simplement pour son allure et son audace, en tout cas j'ai grandi avec cette fascination, et quand une biographie d'Edwina Mountbatten est sortie il y a quelques années je l'ai dévorée en repensant à ce qui se disait dans ma famille sur le couple, fascinée moi aussi par ces deux êtres libres, ils avaient beau être vice-roi et vice-reine de l'Inde, ils mettaient leur indépendance au-dessus de tout, et cela a fini par intriguer Sebastian, lui aussi, et il s'est mis en tête de découvrir la face cachée de l'homme admiré de tous, malgré tous les obstacles, car il sait bien sûr qu'on ne s'attaque pas impunément à une icône, tout le monde l'a prévenu que l'armée, l'*establishment* et sans doute la famille royale allaient se trouver sur son chemin, cela n'a rien changé, il me fait penser à l'époque où il avait mis toute son énergie dans son documentaire sur Septembre noir, comme si sa vie en dépendait, je l'admire tant quand sa détermination à comprendre une histoire ou une vie ne laisse aucune place au politiquement correct, il avait fait la même chose quand il avait découvert que notre belle maison de Home Parkway avait miraculeusement échappé au Blitz, alors que Wimbledon avait été durement tou-ché par les bombes allemandes, et il était devenu comme fou pour trouver *un angle*, il me disait qu'il fallait raconter cette histoire, plus de dix mille maisons endommagées dans ce qui est aujourd'hui une des banlieues huppées de Londres, le monde entier en voit de belles images au moins une fois par an quand le tennis fait la une des journaux, mais personne ne sait rien de ces tonnes de bombes et de tous ces morts, alors il a sonné à toutes les portes avant de trouver l'accroche lui permettant de monter son film, en l'occurrence c'était un survivant qui lui avait confié le souvenir d'une nuit où la famille d'un petit marchand de spiritueux s'était réunie dans la boutique pour trinquer, ils étaient à la veille du mariage de leur fille, et en quelques secondes, plus rien, juste les murs éventrés, le feu et la destruction, toute une noce anéantie en quelques secondes, et le corps de la jeune femme retrouvé seulement des jours plus tard, projeté sur la cheminée de la maison d'en face, elle était morte jeune fille sans jamais enfiler cette robe de mariée en mousseline blanche suspendue à un cintre, dans la petite chambre à l'étage au-dessus de la boutique de son père, au bras duquel elle n'avait jamais remonté l'allée centrale de l'église de Wimbledon – voilà le genre d'obsessions qui pouvaient faire avancer Sebastian, ne jamais oublier et toujours essayer de comprendre, et peut-être était-ce aussi le côté romantique et désespéré qui l'accrochait dans ce récit, un amour jamais consacré, contrecarré par les forces de l'Histoire, voilà l'homme qu'il est, alors à qui d'autre que lui pourrais-je avouer que je me sens comme une héroïne de tragédie grecque sans avoir l'étoffe pour le rôle, j'ai envie de me faire enterrer avec James et rien d'autre, il paraît que l'on brûle encore les veuves avec leurs défunts époux dans les campagnes indiennes – dans ce pays où les Mountbatten ont connu le bonheur et la tragédie –, cela me paraît une meilleure idée que de leur demander de se mettre au piano, mais j'oublie constamment que je suis seulement invitée à ses funérailles parce que je suis une interprète célèbre et que tout le monde peut supposer que nous nous sommes croisés, un critique musical de la télévision et une illustre pianiste, quoi de plus naturel, je ne serais pas étonnée que l'on feigne de se souvenir de l'émission que nous n'avons jamais faite, les gens ont une capacité extraordinaire à se fabriquer des souvenirs quand cela les arrange, mais cela nous paraissait impossible et James a toujours réussi à éviter le sujet avec la chaîne, c'était une chose de vivre cachés et une autre de faire semblant sur un plateau de télévision, je dois dire que cela a été un des moments où James m'a le plus émue de toutes ces années, cet aveu n'était-il pas en même temps la reconnaissance de ses sentiments pour moi, il me disait « On ne va quand même pas tenter le diable », et moi j'ai entendu « Je t'aime trop pour être capable de dissimuler mon amour en public », et cette phrase m'a rendue heureuse pendant des semaines, elle me rend heureuse encore aujourd'hui, je crois, peut-être même qu'elle me permettra de supporter ce qui m'attend, cette cérémonie ridicule où Brahms n'a rien à faire, moi qui ne suis ni la veuve ni même la maîtresse, personne ne m'autorisera à monter sur le bûcher avec lui ou à me faire emmurer comme une nouvelle Antigone, supporter l'après-lui, ce qui m'attend, des jours sans lui et pire – car des jours sans le voir, il y en a eu plus qu'avec lui – des jours sans attente et sans espoir, des journées vides, car il n'y aura plus jamais de rendez-vous secrets, c'est aujourd'hui notre dernier, notre ultime étreinte aussi, quelques notes de musique pour lui plaire une dernière fois, puis rien. La Piccadilly Line redeviendra une ligne de métro ordinaire, j'éviterai sans doute même de la prendre, je risquerais bien de descendre à Holborn par habitude, dans l'anticipation d'un autre après-midi volé en sa compagnie, consignée à son appartement insonorisé à deux cents mètres de l'église Saint-Anselme et Sainte-Cécile d'où nous ne pouvions pas sortir, et au début de notre relation je craignais que cela nous enferme dans une monotonie qui aurait raison de notre envie, mais il n'en a pas été ainsi, les déjeuners ou dîners dans des restaurants chics ne nous ont pas manqué, ni les promenades dans Hyde Park ou à Hampstead Heath, peut-être est-ce bien le grand piano à queue de James qui nous a sauvés de l'ennui, sauvé notre amour, car, dès ce premier rendez-vous après Wigmore, James m'a demandé de jouer, un bis rien que pour lui, et sa gueule d'ange ne me laissait aucun choix, je me souviens avoir pensé à ce moment-là qu'il faudrait coller sa photo dans le dictionnaire à l'entrée *irrésistible*, une photo prise à cet instant précis aurait immortalisé le désir du plus bel homme que j'aie jamais vu à son acmé, j'ai obéi et j'ai joué mieux que jamais de ma vie, sachant que je serais dans les bras de ce bel inconnu quelques minutes plus tard, le dernier accord en l'air, je n'avais ni doute ni hésitation, et si je veux vraiment lui rendre hommage tout à l'heure dans cette église sinistre, il faudra que je retrouve au fond de moi ce que j'ai ressenti pendant ce premier récital intime, il suffira d'oublier tous ces inconnus qui ne m'intéressent pas, et penser à cette première fois au piano pour lui, jouer, puis me taire à jamais. Qui peut bien hériter de son beau Yamaha, je ne le toucherai plus, pas plus que notre Steinway, je ne jouerai plus dessus, j'ai déjà mis fin à ma carrière il y a cinq ans, et James s'est moqué de moi me disant que ce n'était pas un âge pour arrêter, avant de me donner raison, et maintenant il a mis un terme bien plus définitif à tout, carrière, amour, sexe, pourtant au beau fixe, il était au meilleur de sa forme, que ce soit comme animateur de télévision ou amant, et il lui a suffi de ne plus respirer pendant quoi ? une minute ou deux, pour laisser tout ça derrière lui, et moi avec, sauf que je ne vaux plus grand-chose, contrairement à son piano à queue qui trouvera un repreneur sans problème, l'énergique Chad Wilkinson va s'en charger, j'en suis certaine, les instructions de James doivent être claires et je n'en fais pas partie, comment indiquer à son exécuteur testamentaire qu'il faut s'occuper d'une maîtresse vieillissante, aucune plus-value n'est à espérer de ce côté-là, et pourtant, peut-être se trouverait-il quelques fétichistes de par le monde qui seraient ravis de mettre la main sur l'instrument qui m'a servi à préparer quelques-uns de mes plus beaux concerts, et quelques enregistrements légendaires aussi, c'est fou avec quelle rapidité on devient mythique quand on tire sa révérence, ma maison de disques n'a jamais autant vendu mes disques depuis que je suis devenue *la Greta Garbo du piano*, et je devrais sans doute remercier le critique allemand inventeur de cette formule aussi stupide que flatteuse – mais efficace – pour évoquer mon retrait, lequel ne devait pas se douter que ma sensualité tant louée, cette déchirure intime que tous les critiques musicaux ou presque croyaient déceler dans mon jeu, venait peut-être du fait que je m'exerçais sur le piano de mon amant, dans un appartement quasi clandestin du centre de Londres, tous volets fermés, et non pas dans la tranquillité de notre maison à Wimbledon, car il est incontestable que j'avais besoin de sentir la présence de James dans la pièce pour m'approprier une partition, il me demandait de jouer pour lui en toutes circonstances, alors je vais devoir me souvenir de ces après-midi pour traverser les cinq minutes et quelques secondes de l'*Intermezzo numéro deux*, maîtriser la douleur et la faire résonner du bout de mes doigts. Et si l'inventeur de ce surnom ridicule s'est bien trompé sur l'essentiel – car je ne possède ni la beauté ni le sourire énigmatique de la grande comédienne suédoise, et je n'avais pas non plus les mêmes motivations pour tout arrêter, aucune grande guerre pour me convaincre que je n'aurais plus ma place dans le monde à venir, seulement la lassitude du bruit des salles de concert en ce qui me concerne –, il avait peut-être raison de nous comparer malgré tout, car tous les biographes de la star affirment aujourd'hui qu'elle puisait la force de son jeu et son mystère dans ses amours clandestines, et dans la vie secrète qu'elle menait avec ses amants et ses maîtresses, alors que dirait la vertueuse sainte Cécile si elle savait qu'en jouant tout à l'heure je me souviendrai moi aussi de la jouissance que cet homme me procurait, et j'essaierai de faire entendre la musique de Brahms comme la bande-son de nos caresses, en oubliant que cet homme n'est plus, étendu dans une boîte qu'on appelle cercueil, je ferai tout pour le ressusciter dans toute sa splendeur, revoir son corps musclé par des années de boxe, je dois admettre que le spectacle d'un sport que j'avais toujours pris pour une activité réservée aux grosses brutes sans cerveau m'excitait en fait terriblement quand c'était James qui se battait, je l'ai compris lors d'une escapade à West Ham quand son adversaire lui avait éclaté l'arcade sourcilière, et à peine les premiers soins prodigués et le sang séché nous avions fait l'amour dans les vestiaires désertés par les autres boxeurs, alors en jouant je me rappellerai son sexe dressé à la verticale, prêt à me pénétrer et à me procurer cette félicité inouïe et scandaleuse, cette volupté qui nous unissait et que la jeune martyre romaine dont le vitrail orne cette église n'aura jamais connue, à croire que c'est un dernier clin d'œil que James adresse au monde en me faisant endosser ce rôle-là sous les yeux d'une vierge céleste. Notre tout dernier rendez-vous sera donc public, je m'unirai à lui une dernière fois dans une église pleine, je n'en doute pas, cependant, personne dans la foule ne saura vraiment pourquoi la grande Viviane Craig a accepté de sortir de sa retraite, à moins que… j'ai été sotte de ne même pas réfléchir aux dangers de cette invitation *post-mortem*, que faire si on me presse de questions à la sortie de la cérémonie, et Dieu sait ce que Chad Wilkinson a encore manigancé d'autre sur ordre de James, il doit bien s'amuser là-haut en me voyant ainsi dans le pétrin, même si je ne crois pas vraiment à l'existence d'un au-delà, je ne peux pas m'empêcher de reprendre cette expression à mon compte, comment ne pas imaginer que James a tout prévu en mettant noir sur blanc ses instructions, et si quelqu'un me donnait une garantie que je n'oublierai jamais son sourire, qu'il m'accompagnera tous les jours qui me restent à vivre, je lui donnerais tout ce que je possède pour qu'aucune démence de la vieillesse, nulle défaillance de mon esprit n'efface jamais ses yeux clairs et ses lèvres découvrant ses belles dents blanches de ma mémoire, car tout son visage, tout son corps souriait quand il voulait, c'est ce sourire qui m'a éblouie dès notre première rencontre à Wigmore et davantage encore le lendemain, au petit café de la Courtauld Gallery – qui restera notre unique rendez-vous dans un lieu public, à l'exception de ces rares escapades où je m'aventurais jusqu'à son club de boxe –, oui, ce sont cette expression qu'il affichait quand il me demandait si je voulais bien le délivrer de son *érection douloureuse*, cette forme d'innocence qui décuplait son pouvoir d'attraction sur moi que je ne voudrais pour rien oublier jusqu'à la fin de mon existence, car je sais que le deuil est aussi un combat pour que nos morts ne nous quittent pas une deuxième fois, je le sais surtout depuis le 11 septembre dernier, un peu plus de dix mois déjà que Laura est décédée, et tout le monde continue à croire qu'elle est morte dans les Twin Towers, jamais personne ne m'écoute quand j'essaie de rectifier l'histoire en précisant qu'elle a seulement glissé dans sa douche et heurté le rail de la cabine avec sa tête, puis est restée là, à se vider de son sang, pendant que les avions terroristes mettaient New York et toute l'Amérique à genoux, quand l'appel du consulat britannique est arrivé, Sebastian et moi étions encore emplis de ces images de la fumée de cendre blanche et grise dans les rues de Manhattan, et il nous a paru impossible que Laura soit morte ainsi, dans l'humidité de sa salle de bains et de son sang. Depuis, je me réveille avec la même douleur derrière les tempes et dans ma poitrine, mais cela n'empêche pas sa présence de s'éloigner un peu plus tous les jours, les images deviennent floues et sa voix s'estompe, et j'ai si peur du moment où je ne parviendrai plus à convoquer la mémoire de sa voix claire et de son rire pour me tenir compagnie, alors si je dois perdre aussi mes souvenirs de James, je saurai que la vie ne vaudra plus la peine d'être vécue, et même Sebastian n'y pourra rien, aussi cruel que cela sonne à mes propres oreilles, lui, le compagnon de toute une vie, ne fera pas le poids, je n'ai jamais voulu le quitter, l'homme sans reproches, je n'ai jamais cessé de l'aimer, ça non plus, ni Chad Wilkinson ni tous les autres ne sauraient le comprendre, seul James a su dès le premier jour que je ne le quitterais jamais, et le plus étrange est que nous en ayons parlé avant même de devenir amants, comme si la certitude de nous appartenir mutuelle-ment quelques heures plus tard et pour toujours nous suffisait pour écarter toutes les autres questions, et nous nous sommes toujours tenus à cette règle, même si... c'est incroyable à quel point je suis en avance, je crois que je vais pousser jusqu'au British Museum dans l'autre direction, ou au moins jusqu'au square de Lincoln's Inn juste derrière l'église, m'asseoir sur un banc en évitant le soleil, j'ai déjà bien trop chaud dans cette robe noire, mais prendre l'air plutôt que de me montrer anxieuse en arrivant trop tôt pour la cérémonie, je pourrais même faire un tour chez Foyles et monter au dernier étage, question de faire passer le temps au département de musique classique, mais non, c'est risqué, un des vendeurs pourrait me reconnaître et il faudrait lui parler alors, expliquer, et je ne veux parler à personne, surtout pas, seulement

jouer l'*Intermezzo numéro deux*, lui consacrer entiè-
rement ces cinq minutes et demie de musique, et le
reste de la journée aussi, ce sera son tombeau et tout
ce que je pourrai faire pour lui, moi qui n'étais pas
là pour le réveiller, lui rappeler que l'on n'arrête pas
de respirer comme ça. La colère ne sert à rien pourtant, être furieuse ne m'a jamais aidée en rien, je
joue trop fort et trop vite quand je le suis, et même
quand il était encore en vie, j'aurais mieux fait de
ne pas agir sous le coup de la rage, ce sentiment qui
me traversait de la tête aux pieds quand il ne répon-
dait à aucun de mes messages, où quand il avait
essayé de mettre fin à notre *affaire*, comme il disait,
et ces semaines m'ont fait vieillir plus que le poids
des années, elles m'ont anéantie plus sûrement que
le chagrin à la mort de Laura, ces semaines à tourner
en rond comme un fauve en cage, ces moments où
je ne pouvais tout simplement pas m'empêcher de
lui téléphoner ou, plus exactement, de composer
son numéro avant de raccrocher, ne sachant plus si
je voulais l'entendre, ignorant où aller avec mon
désir qui m'envahissait brutalement, me laissant
chancelante et épuisée après chaque nouvelle crise
pendant laquelle ma respiration devenait irrégulière,
je trébuchais parfois quand cela m'arrivait dans la
rue, je ne sais pas combien de personnes m'ont vue
errer dans son quartier, là où je dois retourner maintenant pour ses funérailles, pleurant derrière mes
grosses lunettes de soleil, me sentant plus ridicule à
chaque pas, et c'est seulement parce que mon orgueil,
malgré les apparences, n'avait pas été anéanti que
je me suis retenue de m'avilir davantage dans mon

chagrin. La fierté va-t-elle me servir de bouée de sauvetage tout à l'heure, dans cette église où personne ne comprendra si j'éclate en sanglots, aucun recommencement n'est plus possible, non, cette fois il ne m'a pas blessée, jetée, avant de me rappeler quand il avait compris que le seul péril qui le guettait était de vivre sans moi, mais maintenant il est parti pour de bon, mais à quoi vais-je pouvoir me raccrocher ? Brahms me paraît bien fragile comme béquille si je ne veux pas tomber, me noyer sous les yeux de tous, il va falloir me trouver une idée d'ici là et je regrette vraiment de ne rien connaître à la philosophie grecque, je suis sûre que les stoïciens – si seulement je les avais lus – me fourniraient quelques lignes appropriées que je pourrais me répéter comme un mantra pour ne pas perdre la face. Si seulement je savais à quoi ressemble ce Chad Wilkinson, et si seulement ces images de notre première nuit ensemble, une nuit qui était une fin d'après-midi en fait, ne venaient pas m'assaillir, je suis déjà en nage sans que le souvenir de ce moment y soit pour quelque chose, ce n'est pas tant l'extase dont je me souviens d'ailleurs, mais plutôt de cet instant où James m'a encerclée de ses jambes – qu'il avait longues et musclées –, nous étions assis face à face sur le lit quand tout d'un coup il les a passées et croisées derrière mon dos, tout en me regardant droit dans les yeux, puis il m'a embrassée si lentement que le temps semblait vaincu, mes pensées effacées, je ressentais seulement cette félicité qui s'était emparée de moi, et voyant la même dans ses yeux, je n'étais plus rien d'autre que sa partie manquante, et lui, la mienne. Je m'étais moquée tant et tant de fois de ce fameux mythe d'Aristophane et de sa théorie des êtres complets à quatre jambes et quatre bras qui, coupés en deux par les dieux jaloux, n'ont de cesse de retrouver leur moitié perdue, mais aujourd'hui encore, en repensant à cet instant précis, je jurerais que James est bien l'être dont j'ai besoin pour me sentir entière, le seul qui m'ait jamais donné l'impression de l'être, et comment fait-on quand cet être-là oublie de respirer et, sans crier gare, se trouve dans une boîte en chêne clair sous le regard de sainte Cécile, dans quelle civilisation déjà on enterre les femmes avec leur époux, j'ai l'esprit si embrouillé que je n'en sais plus rien, ni de Platon ou d'Aristophane, ni malheureusement de Brahms que je devrai interpréter dans quelques minutes, je sais seulement que l'état civil et les conventions ne réunissent pas toujours les deux êtres qui ont réellement besoin l'un de l'autre, et de même que cela n'aurait aucun sens d'enterrer ensemble des époux qui n'ont jamais pu être ces deux êtres complémentaires l'un pour l'autre, il est si ridiculement absurde de m'interdire de partir avec lui, avec James, qui peut bien vouloir m'obliger à vivre mutilée, une moitié de corps, une moitié d'âme, et comment jouer Brahms après ça ?

Je ne suis allée à aucun enterrement depuis celui de Laura dont la mémoire me fuit ou que je cherche à oublier, je ne sais pas, en tout cas je n'ai aucune image en tête, je revois toujours les Twin Towers à New York qui s'effondrent, même si je sais qu'elle est morte dans une salle de bains quelconque d'un hôtel quelconque, au même moment et à quelques pâtés de maisons de cette catastrophe retransmise en mondovision et en direct, il n'empêche, quand je pense à sa mort, je vois des gens couverts de poussière courir dans les rues de Manhattan, rien d'autre ne me vient à l'esprit, sauf parfois quand je revois la scène où Simon se jette dans les bras de son grand-père, cela devait être le jour des obsèques, après toutes ces semaines à attendre que son corps soit rapatrié, le chagrin d'un fils et d'un père, qui peut consoler qui, la mère pour l'un et la fille pour l'autre : absente, c'était ma fille aussi, morte, et mon petit-fils, alors pourquoi ai-je retenu cette image, je veux croire qu'ils ont trouvé du réconfort malgré tout dans leur étreinte désespérée, dans cette solidarité créée par le chagrin, alors que moi, je me sentais si seule, abandonnée de tous, j'étais en colère de ne pas pouvoir appeler James, mais la douleur me rend injuste, Sebastian s'est montré soucieux de moi alors que sa peine devait le dévaster tout autant que moi, il n'a eu de cesse de s'inquiéter de moi, parfois j'avais même l'impression qu'il surveillait le moindre de mes gestes, comme s'il avait peur, et voilà que je me souviens de la bonté de mon mari au moment de pleurer mon amant, tout comme j'ai pensé à la tendresse de James quand j'ai enterré ma fille, ce n'était pas une consolation, car cela n'existe pas quand on perd sa fille unique, c'était des pensées qui me traversaient et rien d'autre, les seules qui me rappelaient que j'étais encore vivante, et maintenant, moins d'un an après la mort de Laura, on m'arrache celui qui a été la pièce manquante à mon bonheur, c'est comme cela que j'aime me le représenter, moi la pianiste célèbre, épouse et mère comblée, à qui pourrais-je faire comprendre que tout cela n'était pas suffisant, que je me suis sentie entière seulement une fois que James avait fait irruption dans ma vie, ce soir à Wigmore Hall, comment même oser le penser : Sebastian ne me suffisait pas ? Amour, affection, gentillesse, il me donnait tout ce qu'un mari peut donner à sa femme, mais ce n'était simplement pas assez, ne faisait pas le poids, ne remplissait pas ma vie, il n'y a rien à justifier, rien à décortiquer, il me reste juste à jouer du Brahms, puis retourner à ma vie qui n'est plus qu'un faux-semblant, une comédie d'autant plus amère que je ne peux même pas expliquer mon chagrin à Sebastian, quel sens cela aurait-il de lui avouer ma double vie maintenant qu'elle vient de prendre fin, quelle signification pourrait-il donner à une telle confession aujourd'hui, mon existence n'en serait pas plus heureuse, j'ai déjà perdu ma fille et mon amant, pourquoi ruiner la vie de Sebastian par-dessus le reste, cela ne me rendrait pas moins misérable. Il n'empêche, je suffoque à porter ce secret comme je suffoque dans ce métro, maintenant que James est mort, je n'ai plus à m'inventer des répétitions ou d'autres rendez-vous imaginaires dans le centre de Londres, je devrais même ressentir du soulagement, mais en vérité je ne ressens que de l'angoisse à l'idée de devoir interpréter ce fichu *Intermezzo* devant le cercueil de James, et plus encore à l'idée de devoir rentrer après, retrouver Sebastian à la table de la cuisine, l'entendre me dire « Alors, il était comment ce service funèbre ? », quelle réponse pourrais-je lui donner ? Comment engager la conversation avec lui ? Pourtant, je n'ai jamais trouvé cela impossible du temps où mon esprit était constamment occupé par James, j'ai toujours réussi à être avec lui, même dans les moments où le manque était féroce, quand j'étais obligée de me cacher aux toilettes pour regarder une photo de James dissimulée au fond de mon sac, quand je me disais que je ne pourrais pas vivre ne serait-ce qu'une minute de plus sans lui, à l'arrivée nous avançons toujours, on repousse l'échéance ou nos limites ou les deux, on survit quelques secondes, elles deviennent des minutes et des heures, puis des jours, notre instinct de survie l'emporte toujours, je refusais de mourir dans l'ouragan de mes désirs et les décombres de mon couple même si l'absence de James et la présence de Sebastian me donnaient parfois l'impression de m'être trompée de vie, je n'ai jamais envisagé de partir, je voulais les deux, mon mariage et mon amant, je ne voyais aucune autre possibilité et si la mort ne s'en était pas mêlée j'en serais toujours au même stade, à vivre comme si c'était la chose la plus naturelle au monde d'aimer deux hommes à la fois, même inégalement, mais les aimer quand même. Car c'est seulement maintenant que cet équilibre s'effondre comme un château de cartes, il aura fallu ce stupide orgueil de James – « Quelle idée, dormir avec un respirateur artificiel, moi ? » – pour que je me rende compte à quel point tout cela ne tenait qu'à un fil, ce fragile édifice de notre relation secrète tout autant que la vie elle-même, mais tant que j'étais heureuse, tant que James me comblait et que Sebastian lui aussi m'aimait à sa manière, j'ai réussi à repousser ce moment de vérité. Faut-il croire qu'il est arrivé maintenant, alors que Sebastian n'a plus rien à craindre ? Si toutefois il avait quelque chose à craindre de son vivant, par ce rival dont il ne soupçonnait pas l'existence, oh je n'arrive pas à avoir une seule pensée claire, plus je m'approche de Holborn et de cette maudite église catholique de Sainte-Cécile et de Saint-Anselme – je ne sais jamais dans quel ordre ces deux-là vont ensemble –, plus les images de nos premiers ébats tournent en boucle dans ma tête, les autres passagers de ce métro peuvent-ils voir dans les yeux d'une femme d'une soixantaine d'années, habillée de noir et plutôt chic, qu'elle ne parvient pas à chasser de son esprit le souvenir du sexe puissant de son amant, car Dieu sait qu'il était magnifique, d'une courbure parfaite, je ne me lassais jamais de le caresser, je crois que j'aimais davantage le prendre entre mes mains que quand il me pénétrait, j'étais insatiable de ce contact et de le voir se dresser au toucher de mes doigts, se gonfler de sang me faisait perdre tout contrôle autant ou plus que l'effet de ses mains chaudes partout sur mon corps, il faudrait que je parvienne à me ressaisir avant d'arriver à l'église, même la mécréante que je suis trouve quelque chose d'inconvenant à avoir des idées aussi charnelles dans un lieu voué à la spiritualité. James, en bon agnostique qu'il prétendait être, parvenait parfaitement à faire passer son obsession du sexe pour une quête de spiritualité dans les longues lettres si inspirées qu'il m'adressait parfois entre deux rendez-vous clandestins, il savait que Sebastian n'était pas souvent à la maison, je lui avais dit qu'il ne regardait jamais le courrier qui arrivait au 101 Home Parkway de toute façon, et pour ne pas prendre le moindre risque James utilisait du papier à lettres de la télévision, personne et surtout pas Sebastian n'aurait soupçonné un contenu aussi explicite derrière ces enveloppes siglées BBC, car si tout avait commencé par une lettre me demandant pardon, après cette rupture qu'il nous avait infligée, par peur de trop m'aimer, me disait-il, la suite de notre correspondance était moins douloureuse, ses doutes et ses réflexions qui l'avaient d'abord amené à mettre notre relation entre parenthèses, puis à la relancer trois mois plus tard, ses craintes avaient fait place à la certitude qu'il avait besoin de moi et qu'il souhaitait me le dire et redire aussi souvent que possible entre nos rendez-vous qui ne lui suffisaient plus, il lui était indispensable de revenir sur ces moments partagés, imaginer ceux encore à venir, ces moments où nos corps nous faisaient vibrer mieux que Brahms ou Rachmaninov réunis, et Dieu sait que James aimait ces deux compositeurs. Comment ne pas sourire en repensant à son éclat de rire juste après avoir joui pour la première fois dans mes bras, je crois que les autres passagers qui attendent sur le quai vont me prendre pour une folle, maintenant je me mets à sourire de toutes mes dents, alors qu'il y a deux minutes je devais faire une mine d'enterrement, la mine de circonstance à vrai dire, je suffoquais dans ce train, puis maintenant je souris à l'évocation du rire post-orgasmique de James, ce spasme qui le secouait une fois que son plaisir avait dépassé le paroxysme, comme un compositeur qui cherche une transition entre deux thèmes musicaux, et comment faire comprendre à qui que ce soit combien j'aimais voir son torse sous l'emprise de cette réaction irrépressible, l'agitant de manière irrésistible, il tremblait comme une feuille en riant. Mais je pense à l'instant que Chad Wilkinson devra bien me rendre un autre service et non seulement m'indiquer à quel moment je dois prendre place sur ce fichu tabouret de piano, car j'imagine qu'il a déjà en sa possession toutes les lettres que j'ai adressées à James, certes moins nombreuses que celles que j'ai reçues – qui se trouvent bien rangées dans une boîte en carton sous mon lit –, mais néanmoins potentiellement compromettantes, si on veut voir les choses ainsi, oui, le temps est peut-être venu de voir les choses ainsi, nous avons toujours refusé d'admettre le côté scandaleux de nos senti-ments, mais, maintenant, il devient évident que la découverte d'une correspondance amoureuse de la grande pianiste Viviane Craig et du charismatique critique musical et compositeur James Fletcher ferait la une de tous ces magazines pas très regardants sur le respect de la vie privée, après tout, James était devenu un *people* depuis qu'il avait accepté, la mort dans l'âme, de jouer à monsieur Classique dans toutes ces émissions soi-disant culturelles qui polluent nos programmes maintenant, quant à moi, depuis ce stu-pide article qui m'a gratifiée du surnom indépassable de *Greta Garbo du piano*, je crois bien que je suis moi aussi une bonne candidate pour la machine à scandale de notre presse, et que reste-t-il des senti-ments et de la sincérité quand on réduit *une liaison* à sa simple expression et au fait que j'étais une femme mariée ? J'étais liée à James autant qu'un être humain peut être lié à un autre, mais ce n'était pas une liaison pour autant… Les confidences de James, ces petites choses à propos de nos après-midi au lit qu'il aimait mettre noir sur blanc, comme pour les prolonger, disait-il, nous donner la possibilité de les toucher du doigt pendant que nous étions séparés, tout cela fournirait la nourriture idéale à tous ces fouilles-m… à qui nous avions échappé presque miraculeusement de son vivant, grâce à notre infaillible discrétion et une certaine réclusion, mais comment empêcher que le scandale éclate maintenant, alors que je suis seule et vulnérable, décidément je suis une idiote de n'y avoir pas pensé plus tôt, je devrai prendre ce Chad Wilkinson à part tout à l'heure, ou lui demander un rendez-vous, même si je ne sais fichtrement pas comment amener le sujet sur le tapis, je ne peux tout de même pas me poster devant lui en lui réclamant tout de go la restitution des lettres, lui dont j'ignore tout, à part sa voix insupportablement suave au téléphone, il tient sans doute mon destin entre ses mains, et j'espère qu'il évitera tout sourire ambigu tout à l'heure, sinon je crois que je vais le griffer au visage, ce mystérieux chargé des affaires que James a préféré me cacher, si je sens la moindre condescendance, la plus petite allusion à l'avantage qu'il a sur moi par la simple possession de toutes ces enveloppes que James, maniaque comme il l'était, a certainement bien classées dans une boîte facile à trouver dans ce studio toujours impeccablement rangé, et l'homme qui m'a présenté la dernière volonté de James – un *Intermezzo* de Brahms à interpréter pendant son service funéraire – comme un ordre à ne pas remettre en cause l'a certainement déjà trouvée et rapportée à son office notarial, tout comme cette grande enveloppe kraft qui contenait justement cet ultime désir de James, cette lubie qui fait que je me trouve maintenant dans ce wagon irrespirable, à me demander comment je vais me sortir de ce guêpier. Je déteste plus que tout la sensation d'être coincée, de n'avoir aucune bonne option à ma disposition, dire qu'avec James nous tenions plus que tout à notre libre arbitre, nous en parlions souvent, de cette liberté prise avec la logique, les bonnes mœurs et les conventions, tout cela pour aller au bout du chemin où nous avaient conduits nos sentiments, nous étions d'accord pour ne nous soumettre qu'à eux – et à la musique, ajoutait James parfois en riant – et maintenant je devrais plier devant la bonne société et leur idée de respectabilité, par peur du scandale ? Mais je déraille à imaginer un sordide chantage alors que personne ne s'intéressera ni à moi ni à mes lettres. Pour Wilkinson, sainte Cécile et toute l'assemblée réunis, je suis exclusivement et sans aucun doute possible la célèbre pianiste qui accepte de sortir de sa retraite pour payer hommage à un grand critique musical et admirateur de son jeu.

Je ne sais plus si je suis en retard ou en avance, je commence à perdre pied, quelle idée d'avoir pris le métro comme si j'allais retrouver une fois de plus James, j'aurais dû me payer un taxi, rien que pour m'éviter cette illusion dont je me bercerais presque, si seulement cette petite robe noire n'était pas trop chaude et ne me grattait pas autant, je pourrais presque croire encore que tout est comme avant, le même trajet, le même ralentissement tout à l'heure entre Wimbledon Park et Southfields, j'ignore pourquoi ce train ralentit toujours à cet endroit, on n'a jamais de réponse à ce genre de questions de toute façon, mais j'ai pris l'habitude de m'installer dans un carré côté gauche pour voir le lac, j'ai toujours aimé les jeux de lumière sur l'eau, c'est stupide d'être fascinée autant par de simples reflets sur un étang, parfois quand l'école de voile est ouverte il y a même de petits catamarans, et je souris en me disant que le conducteur du train doit aimer autant que moi ce spectacle anodin mais réconfortant, un dernier aperçu de la nature avant de traverser la Tamise et d'entrer dans le ventre de la capitale. Impossible de savoir combien de fois j'ai fait ce trajet, toujours le même, comme aujourd'hui, le dernier, toujours identique, la petite marche à pied en sortant de la maison, tout en descente, dix minutes à peine et déjà je vois le lac scintiller dans le parc, le même plan d'eau que je verrai une deuxième fois depuis le train, non loin du golf, des tennis et de l'aire de jeux, je me suis toujours attachée à détailler mon trajet avec précision pour me raccrocher à une normalité, oublier que je quittais ma maison sur Home Parkway pour faire l'amour avec un bel homme dans un appartement-studio insonorisé à Londres, comme si l'existence des canoës sur le lac et des enfants sur les balançoires avait le pouvoir de banaliser la situation, celle d'une femme adultère qui est sur le point de retrouver son amant. Pourtant je n'étais jamais nerveuse à l'idée de rejoindre James, jamais inquiète comme aujourd'hui, je savais qu'il m'attendrait ou qu'il me rejoindrait (j'avais les clefs de l'appartement) si j'arrivais en avance sur l'heure convenue – avec le recul, je me rends compte que nous étions placides dans notre passion, si une telle chose existe, nous étions certes incapables de mettre fin à notre liaison et de nous passer l'un de l'autre, mais nous nous comportions avec une sérénité dont je n'avais même pas conscience –, je comprends seulement aujourd'hui que je n'avais ni mauvaise conscience ni appréhension, il a fallu que James meure pour que je ressente cette inquiétude sourde pendant le trajet, je suis un peu plus agitée à chaque mètre que ce train avance, et personne pour me prendre dans les bras à l'arrivée, seulement ce fat de Chad Wilkinson et un piano à queue hissé sur une estrade au fond de l'église Sainte-Cécile, et per-sonne, plus jamais, ne me caressera pendant des heures comme lui, mon *Intermezzo* de Brahms sera un chant d'adieu au sexe aussi, et Dieu sait que nous aimions ça tous les deux, si je parviens à penser aux yeux de James qui brillaient pendant que nous faisions l'amour j'arriverai peut-être à jouer ce mor-ceau de Brahms avec toute la sensualité qu'il convient de lui arracher, James a mérité ce geste dérisoire de ma part, car même me réveiller à côté de lui était une expérience sexuelle, j'étais aimantée par son corps et je faisais tout pour rester une nuit ou deux chez lui quand Sebastian était en reportage à l'étran-ger, cela me changeait des après-midi où je prétextais répéter au studio et où je devais me dépêcher pour rentrer dîner avec Sebastian et Laura, mais ces quelques nuits… Passer quarante-huit heures avec James sans sortir de son appartement – sans à peine sortir de son lit parfois – valait tous les voyages et je me glissais à chaque fois sous ses draps avec un sentiment de bonheur si intense et, me semble-t-il, si vital que mon corps refuse encore de comprendre que cela n'arrivera plus jamais, et que James a expiré son dernier souffle sous (ou probablement sur) ces mêmes draps qui signifiaient la félicité pour moi, cette parure de lit toujours fraîchement changée, jamais James n'a failli à la règle et ce grand lit était toujours recouvert des plus beaux satins gris ou violets chatoyants, à chacun de mes passages dans son appartement qu'il me demandait d'appeler *notre chez nous*, ce n'était pas seulement son membre gorgé de désir qui se dessinait nettement dans un de ses pantalons en toile, mais aussi le soin visible qu'il avait mis à préparer la chambre qui me signifiaient son envie de me retrouver peau contre peau, d'être à moi par ce simple contact de nos deux épidermes et d'oublier tout le reste, alors je peux bien faire ça pour lui, cinq minutes de Brahms, même si mes genoux tremblent à l'idée de monter sur cette mezzanine et de faire comme si j'étais une pianiste et rien d'autre. Si je survis à cette cérémonie orchestrée par Wilkinson et à cette robe noire qui gratte, je crois que je vais courir au Courtauld voir le tableau de Cézanne que James aimait tant et dont il avait fait encadrer une reproduction, malgré son mépris pour les décorations bon marché de ce type, c'est dire l'importance qu'il accordait au seul tableau peint par Cézanne lors de son séjour à Talloires au bord du lac d'Annecy en 1896, un an avant la mort de Brahms, ce qui me permet de retenir la date, et d'ailleurs les *Intermezzi* ont sans doute été écrits peu de temps auparavant, vers la toute fin de la vie du compositeur, raison pour laquelle certains musicologues les qualifient de *testament pianistique* là où un de mes professeurs parlait de *paysages d'automne*, pour cerner ces morceaux qui ressemblent à des berceuses sensuelles et tristes, mais aussi à des jeux de questions-réponses, surtout le deuxième en *si* bémol, l'alternance entre les deux mains traduit physiquement ce dialogue entre deux voix, et c'est peut-être aussi pour cela que James m'a demandé de l'exécuter sur cette estrade surplombant son cercueil, cette petite boîte en bois clair qui referme non seulement son corps qui était à lui seul un magnifique paysage d'automne, mais aussi son regard bleu à jamais éteint et que je devrai m'efforcer désormais de retrouver dans ce tableau accroché à la galerie Courtauld, ce reflet du lac que James aimait tant et où, m'avait-il confié, il se rendait en pèlerinage une fois l'an, toujours début septembre, car, une fois les vacanciers partis, cette vaste étendue d'eau pure et les montagnes aux alentours regagnaient leur calme et il devenait possible de se retrouver pour ainsi dire seul au milieu de ce bleu infini peint par Cézanne et que James disait ressentir dans tout son corps quand il se laissait glisser du canoë loué pour l'occasion, non sans avoir enlevé son short de bain avant, pour que rien, même pas le moindre bout de tissu, ne fasse obstacle entre lui et la volupté que lui procurait le contact de l'eau, quand il se laissait dériver allongé sur le dos, les bras en croix, immergé dans toutes les nuances de bleu et de vert, il avait découvert *quelque chose* lors de son premier séjour en France quand il s'était échappé du groupe (il était jeune étudiant) pour se baigner loin de la foule, et même s'il ne parvenait pas à nommer cette sensation, il voulait reproduire l'expérience, je ne sais plus pourquoi James avait commencé à me confier ce souvenir, pourquoi il avait choisi de m'expliquer la raison d'être du *Lac d'Annecy* dit aussi *Le Lac bleu* sur le mur à côté de son lit, mais je me souviens avec précision de la force de mon émotion ce jour-là, après une parenthèse de quelques heures volées à l'existence, ayant soudain l'intuition que cette confidence tissait un lien aussi intime entre lui et moi que le sexe, et au fur et à mesure que je me rapprochais de Home Parkway 111 et de Sebastian, en sens inverse du trajet de maintenant, la certitude que jamais mon mari, le père de ma fille, ne m'avait confié une chose aussi importante, une expérience aussi révélatrice malgré son caractère anodin en apparence, finit par s'imposer à moi, et je me dis que James savait très bien qu'il ne pourrait jamais aller plus loin, ce détail était si significatif pour lui qu'il n'aurait pas pu me faire un plus grand cadeau que cette confidence, et d'ailleurs il a dû en avoir le pressentiment lui-même, car il a enchaîné aussitôt avec des commentaires plutôt amusés sur Cézanne et sa pratique du cornet à piston, ce drôle d'instrument inventé au début du XIXe siècle et rarement utilisé en musique symphonique, mais dont le grand peintre aixois avait joué une grande partie de sa vie, comme pour changer de sujet et alléger la gravité de son propos, cette anecdote sur un rituel qui sonnait comme un aveu si on voulait bien l'entendre, et il savait tant de choses sur Cézanne, son amitié avec Zola bien sûr, mais aussi sur l'impressionnisme, ce mouvement trop étroit pour lui, il en parlait avec autant d'aisance que des *Intermezzi* de son contemporain Brahms qui relèvent clairement de cette même esthétique impressionniste – sans mélodie et sans thème musical bien définis – tout en proposant tellement plus que ce qu'ils ont l'air d'être au premier abord. Je tâcherai de penser au pinceau de Cézanne tout à l'heure, à son *Lac bleu* de 1896, à ses *Baigneurs* aussi, ce tableau pour lequel James aurait pu servir de modèle, j'essaierai d'arracher un peu de légèreté à ce moment funeste, un peu de beauté à cette affreuse église mal fichue, asymétrique et à l'acoustique douteuse sous sa voûte en bois sombre, Dieu sait ce que l'assemblée va entendre de ce piano juché sur la mezzanine, juste en dessous du vitrail consacré à sainte Cécile, que j'essaierai de faire sonner malgré tout, cette mélodie qui n'en est pas une, qui capte une idée sans jamais la nommer, dans un mouvement de balancier la laisse repartir aussitôt, glissant vers l'apaisement et le silence comme James devait se laisser s'enfoncer dans l'immensité bleue du lac d'Annecy. Nous n'avons jamais pu voyager ensemble, le petit appartement de James formait notre seul et unique horizon, son piano à queue, sa cuisine équipée de la dernière technologie et son grand lit, et même quand je pouvais lui accorder plus de temps, lorsque Sebastian effectuait un reportage à l'étranger et que Laura était chez les grands-parents, nous nous tenions à notre résolution de ne jamais nous montrer en public, à part ces rares exceptions où il avait accepté que je vienne le chercher à son club de boxe de West Ham, ou encore en trichant avec le sens des mots *public* et *ensemble* : quand nous allions au même concert sans prendre des places côte à côte. Une idée de James bien sûr, je ne sais pas comment elle lui était venue, et les soirées à l'opéra ou dans une salle de spectacle – à Wigmore Hall parfois, l'endroit où *tout avait commencé*, comme James se plaisait à répéter avec un sourire ironique, mais des yeux qui disaient autre chose –, ces moments où je savais James à quelques rangées derrière moi, ou dans une loge en face, m'ont procuré une excitation sans pareille, j'avais l'impression qu'on jouait exclusivement pour nous, deux amants clandestins au milieu de la foule, et la douleur du *Voyage d'hiver* chanté par Ian Bostridge n'en était que plus belle, tout comme *La Traviata* d'Angela Gheorghiu, plus ardente. Je n'ai pas tenu la comptabilité de ces sorties faussement partagées, nous étions comme des enfants, heureux de tricher – un peu – avec l'interdit que nous nous étions imposé à nous-mêmes, exaltés par l'intensité d'être *un couple à la ville* – à notre manière et surtout à l'insu de tous –, mais peu importe leur nombre, car je dois avouer qu'elles ne nous donnaient pas seulement l'occasion d'écouter de la musique différemment : elles nous procuraient incontestablement une excitation érotique considérable, et ce petit jeu, qui mêlait d'une manière bien étrange notre amour de la musique et du sexe, James l'emportera aussi avec lui dans sa tombe, et à moi, il ne restera que des souvenirs… rien que cette phrase me donne la nausée, la chaleur dans ce wagon n'aide pas, mais elle est si terriblement usée et si tragiquement vraie, enfin je ne sais plus ce que je dois penser, il est certain que je n'oublierai rien, et certainement pas ce soir où nous avions pris des places pour la *Messe en ut* à l'église Saint-Martin-in-the-Fields, Trevor Pinnock à la baguette, il me semble, et pour une fois James était trois rangées devant moi et pas l'inverse, en biais, ce qui m'a permis de l'observer à loisir pendant le concert, et quand tout d'un coup j'ai vu des larmes couler sur ses joues, pas de doute, James pleurait, visiblement ébranlé jusqu'au plus profond de lui par la soprano – je crois que ce devait être Barbara Bonney – qui exécutait le *Et incarnatus est*, en s'élevant toujours plus haut, sa voix unie à celle du hautbois, une fusion qui n'avait plus rien de liturgique ni même de religieux, d'une sensualité très *incarnée* et réellement bouleversante, en voyant l'émoi de James donc, je savais que j'aimais cet homme au-delà du raisonnable, si ce mot a un sens, et rien que ces quelques minutes auraient suffi pour nous arrimer irrémédiablement l'un à l'autre, à se demander si le terme « chant céleste » n'a pas été inventé pour de telles occasions, pour James et moi, plutôt que pour une sainte Cécile qui tend son cou au bourreau sans avoir jamais connu une telle allégresse.

Je devrais arrêter de penser à tout ça, je me sens de plus en plus barbouillée, je ne sais vraiment pas dans quel état je vais arriver là-bas, tout près de l'endroit où, en dehors de ces quelques escapades à Covent Garden ou dans les églises et salles de concert de la ville, le temps que nous passions ensemble coïncidait avec l'espace de son appartement, peut-être est-ce cela un voyage immobile, et même s'il m'est arrivé de me révolter contre cette réclusion volontaire je me dis maintenant qu'elle nous a protégés, aucun ami à intégrer à notre relation, aucun conflit potentiel introduit par des tiers, juste la musique, nos conversations et nos corps dont il fallait parfois maîtriser l'impatience, quelques notes de musique, nos caresses et nos confidences chuchotées, voilà la quintessence de ma vie, ce qui en reste maintenant qu'il est parti et que je n'en saurai jamais plus sur son enfance dans le Nord, ses études de musique et cette découverte de la félicité à s'immerger dans une eau claire au milieu d'un lac dans les Alpes, il était plutôt avare de mots, même si nos conclaves lui ont donné le goût de la parole malgré tout, et à chaque bribe de sa vie d'avant qu'il me confiait je l'aimais un peu plus, c'est sans doute idiot mais c'est ainsi. Je ne connais personne dans cette assistance qui m'attend, rassemblée en l'église de Sainte-Cécile et de Saint-Anselme, ou alors seulement par le biais professionnel, des musiciens, des critiques, je suis néanmoins certaine qu'aucun d'entre eux n'aura autant partagé avec lui, je serai celle qui emportera le plus de lui en repartant de cette église, en le laissant aux mains de Wilkinson pour une inhumation je ne sais où, car ce dernier instant d'intimité m'est interdit, impossible d'assister à un enterrement en petit comité, quel rôle pourrais-je y jouer, alors que tout à l'heure je jouerai tout court, je serai simplement la célèbre pianiste qui rend hommage à un grand critique musical sous le regard vitrifié de deux saints, comme si un seul n'aurait pas suffi, c'est du grand James jusque dans le choix de l'église, d'ailleurs je ne me suis même pas renseignée sur saint Anselme, il faudrait tout de même savoir si lui aussi a entendu des anges chanter avant de tendre le cou et de se faire tuer en martyr – rien que ce mot *martyr* suffirait à me donner des frissons –, sauf que j'ai vraiment trop chaud dans cette robe noire, sans parler de cette rame de métro qui n'avance pas, on vient de nous demander de patienter, un arrêt imprévu entre deux stations pour cause de régulation de trafic, comme si on avait le choix de faire autre chose que de prendre notre mal en patience, mais ces annonces des conducteurs de métro sont au pire incompréhensibles et au mieux superflues, j'aimerais bien savoir pourquoi personne n'a jamais eu l'idée de les former à cet exercice certes accessoire, mais néanmoins régulier dans leur quotidien, vu l'état du métro londonien, leur enseigner une diction un peu plus audible ne serait pas du luxe, même James l'avait fait en arrivant à Londres, il s'était rendu compte que ses intonations du Derbyshire et ses « u » prononcés à la manière des gens originaires du Nord ne lui ouvraient pas exactement les portes du petit milieu assez snob des musicologues, et vu sa carrière inattendue, commencée quelques années plus tard à la télévision, il me dit souvent n'avoir jamais regretté cette décision de recourir à son docteur Higgins à lui pour faire disparaître les dernières traces de son enfance loin du monde des artistes et des médias qui deviendrait le sien, et ce sans la moindre honte, car il répétait parfois qu'il fallait connaître les règles du jeu quand on veut jouer, et vu que certaines choses n'avaient pas changé depuis George Bernard Shaw et sa créature Eliza Doolittle, il avait fait ce qu'il fallait pour ne pas être considéré comme un plouc, et peu importe si c'était par des gens dix fois moins cultivés que lui, dans la mesure où ils avaient fréquenté les bonnes écoles et possédaient le bon accent et les codes qui ouvraient le chemin vers la bonne société, le pouvoir ou la liberté, si ce n'était pas les trois à la fois. Comme tout le monde, j'étais donc incapable de savoir d'où venait James, mais il m'est arrivé plus d'une fois de penser que cette ignorance ne concernait pas seulement son enfance et ses origines, tant il paraissait libre de toute attache, dans tous les sens du terme, tant il semblait *venir de nulle part*, et je crois que sa vie durant il a essayé d'échapper à ce que l'on pouvait attendre de lui, sachant que sa famille dans le Nord s'était montrée incrédule et sans doute désarmée devant son choix de la musicologie et de la composition, il s'est acheté sa liberté par un travail acharné et des résultats excellents, à la Purcell School comme ailleurs, mais sans jamais aller là où on l'attendait, notamment en adaptant des poèmes de Shakespeare – un cycle de lieder pour voix de mezzo et orchestre, jugé par ses professeurs comme un projet trop ambitieux pour une œuvre de fin d'études – et en exigeant des effectifs à la Mahler, il n'avait pas hésité à se mettre des gens à dos, et la partition ne fut d'ailleurs jamais enregistrée malgré le succès de la seule représentation publique donnée à l'occasion de la remise des diplômes dans une version pour piano et voix, j'ai dû lui arracher cette histoire bribe par bribe, mais je réalise à l'instant que je pourrais lui rendre un tout autre hommage, même s'il ne voulait plus parler ni entendre parler de ce cycle, je trouverai une cantatrice et serai son accompagnatrice, puis je ferai exister cette musique, *sa musique*, un disque pour faire oublier que James Fletcher avait brutalement abandonné la composition après cette première expérience en demi-teinte, il ne pouvait rien imaginer de tel, j'en suis sûre, quand il avait décidé de se tourner vers la recherche en musicologie, sa décision n'était pas de nature à lui assurer un gagne-pain en plus, car les Linley étaient connus de quelques *happy few* seulement, une dynastie de musiciens du XVIIIe siècle passée à la postérité plus sûrement parce que le jeune prodige Thomas s'était noyé que pour les rares partitions conservées, ce n'était pas exactement la voie royale pour tenter de décrocher un poste à l'université, cela passait par des compositeurs comme Elgar, Britten ou éventuellement Dowland – mais Thomas Linley le jeune ? –, cela confirmait sa singularité et sa volonté de ne jamais s'abaisser au moindre compromis, et même si James ne s'est jamais étendu sur le sujet et si j'ai dû lui arracher chaque morceau de cette histoire pour avoir l'impression d'en savoir un peu plus sur lui, je mesure seulement en y repensant à quel point sa situation financière devait être désespérée – une première œuvre certes acclamée par quelques connaisseurs, mais inenregistrable, et des travaux de recherche sur des musiciens oubliés par tous ne nourrissent pas son homme – pour qu'il saisisse l'opportunité de faire des piges pour la radio, sans imaginer qu'il allait vite grimper les échelons et se transformer en vedette du petit écran : le grand vulgarisateur de la musique classique – quel chemin parcouru pour le gamin dont je sais tout juste que sa famille devait être modeste. James a laissé filtrer si peu de choses de ses origines, dans ces rares moments où il se laissait aller à parler de lui – en général nous étions alors nus sur le lit, souvent après avoir fait l'amour –, mais il évoquait plus volontiers le bleu du lac d'Annecy que ses parents morts noyés dans un accident de ferry, c'est à peu près tout ce que je savais sur eux, et je me demande si je ne l'aimais pas aussi pour ça, malgré ma curiosité qui refaisait régulièrement surface, car je trouvais admirable sa manière de s'extraire des contingences, oui, je crois que j'aimais l'idée d'être aimée par un homme libre, comme si faire partie de cette radicalité-là me rendait moi-même moins conventionnelle, plus audacieuse, que sais-je, comme si cet amour faisait de moi enfin *quelqu'un*, même si je sais bien sûr à quel point il était paradoxal de ressentir seulement de l'ennui pour le personnage que j'étais devenu après le premier récital Brahms à Wigmore Hall et le triomphe des premiers enre-gistrements – à savoir *quelqu'un* aux yeux du public – et de me trouver enfin une partition à ma mesure dans une relation clandestine qui m'interdisait de laisser paraître en dehors la moindre allusion à la personne que j'étais devenue en dedans, et pourtant, c'est bien ce qui m'est arrivé en me laissant aimer par James et en l'aimant en retour. De la même manière, cet amour invisible était devenu l'essence même de mon existence, dont le quotidien était en revanche on ne peut plus éloigné de l'intensité de ces heures passées à Holborn, ou peut-être il serait plus juste de reconnaître que tout n'était pas que passion et intensité entre nous, ma mémoire serait-elle déjà en train de distiller les moments les plus riches de tout ce temps passé ensemble, comme on extrait la quintessence d'une plante en prélevant son huile, oh que je déteste le travail du temps et la lente transformation de nos souvenirs qu'il accomplit, rien n'est faux, mais rien n'est vraiment juste non plus quand on se souvient, on trie, on élimine, on retient ce qu'on veut, et il faut croire que je suis déjà en train d'évacuer les moments où James et moi étions un couple ordinaire, nous aussi, ces instants par exemple où il piochait dans sa collection de DVD pour regarder un film, et qui à part moi connaît sa passion pour l'âge d'or de Hollywood et les comédies musicales, il n'hésitait pas à affirmer qu'Irving Berlin était un génie à l'égal de Bach ou de Mozart, je me souviens encore à quel point il était vexé quand il m'a proposé de regarder *Annie Get Your Gun* et que j'ai réagi en faisant la moue, pour moi l'aventure d'une fille qui s'impose dans un monde de cow-boys parce qu'excellente tireuse, je trouvais ça ridicule, pire, risible et ringard, je n'aurais pas pu imaginer une seule seconde que James savait toutes les chansons par cœur, je me suis demandé d'abord si le Far West américain avait fourni un imaginaire excitant au petit garçon solitaire du Nord de l'Angleterre et si cela pouvait justifier sa clémence à l'égard d'un scénario improbable, mais j'ai compris qu'il devait y voir encore autre chose, car quand Annie, la tireuse incarnée par Betty Hutton (car Judy Garland, m'expliquait James, avait été virée du tournage), entame sa grande chanson d'amour, il était au bord des larmes, voilà un des moments de notre histoire que j'aimerais sauver de l'oubli, mais qui sait si je me souviendrai encore dans quelque temps de l'homme transpercé par une bluette évoquant le bonheur de se perdre dans les bras de quelqu'un et d'y trouver son bonheur, si je me souviendrai aussi de ce mélange de légèreté et d'intensité, et surtout de cette liberté qu'il incarnait pour moi, à l'époque il était en chacun de mes gestes, chacune de mes paroles, même en présence de Sebastian et de Laura, ou quand j'étais seule, je ne sais comment décrire cette façon de me sentir en permanence ailleurs qu'à l'endroit où je me trouvais physiquement, j'oserais dire *réellement*, car justement, parfois, je ne savais plus où je me trouvais tout court, ne parvenais plus à me défaire de cette impression que James m'accompagnait partout où j'allais, ou plutôt que je ne l'avais pas vraiment quitté en reprenant le métro en direction de Wimbledon et en remontant Home Parkway avec cette fois le golf et le scintillement du lac à ma droite, et ce qui me troublait autant sinon davantage que cette dissociation absolue de mes pensées et de mes actes était le fait que je ne ressentais absolument jamais le besoin de me retrouver seule, même pendant les rares fois où les absences conjuguées de Sebastian et de Laura me permettaient de rester plusieurs nuits à Holborn, jamais ce sentiment de manquer d'air qui m'avait habitée en toutes circonstances depuis mon adolescence n'avait fait jour, et c'est en notant l'absence d'une réaction habituelle chez moi que je me rendais compte que j'avais changé bien plus que je n'aurais pu imaginer en riant à la plaisanterie de mauvais goût de James, ce premier soir à Wigmore où il avait fixé ma nuque pendant tout le concert, mais il est évident que ce premier abandon (à une plaisanterie) m'a si profondément transformée en un mouvement de nature à éradiquer ce qui avait toujours été un trait prédominant de mon caractère, me valant aussi bien en public qu'en privé le sobriquet de *sauvageonne*, ce mot que ma grand-mère m'avait lancé avec toute la gentillesse dont elle était capable, avec le sourire et dans l'intention de me défendre, ce mot qu'un critique musical avait repris sans le savoir pour parler de ma vie recluse et surtout de l'impératif que j'imposais par une clause particulière dans tous mes contrats, à savoir la possibilité de faire une courte pause *seule* à n'importe quel moment d'une répétition, ou plutôt à l'instant où mon besoin de me défaire de toute compagnie humaine atteint ce degré de non-retour qui fait que je me suis déjà enfuie, laissant mon tabouret vide en plein milieu d'un mouvement de concerto, sous les yeux ébahis du chef d'orchestre et des autres musiciens, pour reprendre ma place quelques minutes plus tard sans rien dire, un peu comme j'avais parfois déserté, petite fille, un goûter d'anniversaire ou un repas familial, sans pouvoir donner d'autres explications qu'un vague « Je n'en pouvais plus » pour mon comportement, mais je dois m'échapper un instant de ce wagon, nous sommes enfin repartis et, même si je ne sais plus si je suis en avance ou en retard, je vais sortir une minute ou deux dès qu'on arrivera à Green Park et reprendre la rame suivante, je ne comprends pas pourquoi je suis si agitée en repensant à toutes ces vieilles histoires, à l'époque j'avais été blessée de voir ce mot apparaître dans la presse, *sauvageonne*, j'aurais voulu qu'il appartienne à ma grand-mère et qu'il reste marqué par sa tendresse, mais le critique musical au nom ridicule de Leonard Pickle avait sans doute eu envie de rajouter une couche et d'avoir sa part du gâteau de ma célébrité après ce premier article qui m'avait qualifiée de *nouvelle prophétesse du piano* quelques années plus tôt, sa trouvaille a certes été reprise un certain nombre de fois, mais sans jamais égaler l'expression me comparant quelques années plus tard à la grande actrice suédoise, alors voilà, aujourd'hui Greta Garbo va à l'enterrement de son amant, mais elle n'en peut plus de sa petite robe noire et de ce wagon, finalement je me dis que c'est une chance de jouer sur une estrade et non pas placée devant cette assemblée endeuillée ou faisant semblant de l'être, à la fin de ma carrière je ne supportais plus le regard des gens sur moi, j'aurais voulu qu'ils m'écoutent seulement, alors cette cérémonie funèbre m'offrira cette dernière chance, je serai totalement désincarnée tout à l'heure, quelques notes de piano, je serai du son pur flottant au-dessus des têtes, au-dessus du cercueil de James, l'homme qui m'a prouvé qu'il était possible d'être parfaitement à sa place dans les bras d'un autre être humain, si parfaitement au bon endroit que cette envie de fuir ressentie pendant toute ma vie m'a abandonnée, mais je vais remonter quelques instants, je ne peux plus rester une minute de plus ici, en sortant je vais trouver un banc à Green Park, me voilà déjà sur l'escalator, dans deux minutes je serai à l'air libre pour reprendre mes esprits ou ce qu'il en reste, la question qui me taraude depuis l'appel de Wilkinson est bien là, qu'est-ce qu'il me reste maintenant ou plutôt me restera tout à l'heure quand j'aurai accompli mon dernier hommage, c'est ainsi que les journaux mentionneront ces quatre ou cinq minutes de Brahms dans les articles consacrés à la mort de James, et les plus populaires parmi eux n'hésiteront sans doute pas à en faire leur manchette « La grande pianiste Viviane Craig sort de sa réserve pour rendre hommage au journaliste télé James Fletcher », pas un seul mot ne sera juste dans cette affirmation, ce sera une ligne de plus dans ma biographie officielle, et à l'instar de toutes les oraisons funèbres qui seront prononcées tout à l'heure, elle ne dira rien de ma vérité, de la nôtre – si ces mots signifient quelque chose –, en tout cas je serai éternellement *la grande pianiste* et James *le célèbre journaliste télé*, il ne sera jamais l'homme éperdument amoureux de moi, et moi, je ne serai jamais sa maîtresse aux yeux du monde non plus, car personne ne saura que nous avons été à l'unisson l'un de l'autre, même si James avait tous ces clichés en horreur, ce « parfait l'un pour l'autre » des chansons d'amour, il préférait me répéter – souvent – qu'il n'avait jamais été aussi heureux de toute sa vie et que c'était tout ce qui comptait, et en effet, aujourd'hui, cela compte, cela pèse, et c'est même tout ce qui me reste, sauf qu'il va falloir reprendre le métro, je ne peux pas prendre racine ici, même si je n'ai aucune envie d'avancer, peut-être même je devrais précisément faire cela, rester sur ce banc à l'entrée de Green Park – j'étais chanceuse d'en trouver un de libre – et laisser passer la journée ainsi, faire comme si cette cérémonie n'avait pas lieu, comme si je n'étais pas attendue pour jouer l'*Intermezzo numéro deux* de Brahms en l'église de Sainte-Cécile et de Saint-Anselme. Comme si je n'avais aucune raison de porter cette ridicule robe noire aujourd'hui, comme si Chad Wilkinson n'existait pas et comme si James ne s'était pas arrêté de respirer pendant son sommeil.

Je crois que cet homme sur le banc d'en face m'a reconnue, la quarantaine soignée, trop jeune pour m'avoir vue à Wigmore à mes débuts, mais, qui sait, il écoute peut-être mes disques, en tout cas il me regarde de plus en plus franchement maintenant, et d'ailleurs il est non seulement très élégant dans son costume bleu-violine, acheté, j'en suis sûr, chez un des meilleurs tailleurs de la ville, quelle jolie teinte, il est aussi très beau, vraiment séduisant, pourquoi ne pas partir avec lui ? traverser cette allée pour engager la conversation, lui dire tout de go que j'aimerais faire sa connaissance, oublier les convenances, je devrais me laisser guider jusqu'à chez lui, je l'imagine habitant une petite maison à Notting Hill ou Chelsea, et passer la journée dans son grand lit blanc, après tout il est si facile pour une femme de se laisser caresser par un homme tel que lui, je devrais l'aborder maintenant et oublier le reste, comme si James ne m'avait jamais parlé du lac d'Annecy, comme s'il n'avait jamais existé, comme s'il n'était pas le centre de mon univers sans lequel je ne suis pas sûre de savoir déchiffrer une portée de Brahms, de Rachmaninov ou de n'importe qui d'autre. Je ne suis pas certaine de savoir jouer encore du piano, le mot même me paraît obscène, les jeux sont faits, alors à quoi bon faire semblant, pourtant je viens de me lever et comme une idiote je n'ai pas demandé au quadragénaire sur le banc d'en face de me faire oublier que je suis la célèbre *Greta Garbo du piano* qui va à l'enterrement de son amant, j'ai bifurqué à moins de deux mètres devant lui pour reprendre le chemin du métro, à croire que la Piccadilly Line est devenue mon fil d'Ariane à moi, à croire que je ne possède pas suffisamment de cran pour planter ce fat de Wilkinson sur une estrade vide, sous le regard ébahi de sainte Cécile qui a beau être la sainte patronne des musiciens, elle ne lui fournira pas une remplaçante de mon calibre au pied levé, il a de la chance que je sois conventionnelle jusqu'au bout de mes doigts de pianiste, jamais je n'ai annulé un engagement, jamais flanché, et mes caprices se limitaient à ces pauses sauvages que j'imposais parfois aux autres musiciens pendant les répétitions, quand une crise de misanthropie aiguë et surtout un violent désir de me retrouver seule me submergeaient, alors aujourd'hui encore je serai professionnelle, je dois bien ça à James, sauf qu'à l'instant même où cette pensée me vient à l'esprit, sur cet escalator en bois qui me redescend sur le quai, je la trouve stupide, une idée reçue sans queue ni tête, une de plus, car que peut-on bien devoir à un mort, et comment James pourrait-il encore profiter de *mon* Brahms alors qu'il est parti, parti, parti, et que je serai seule sur cette estrade en bois, seule avec mon chagrin, ma musique et ce qui reste de ma vie. Un train approche, je ne serai pas en retard malgré cet arrêt improvisé à Green Park, dans une demi-heure tout au plus je serai à Holborn, même si je ne parviens pas à oublier que James aurait certainement préféré un autre périple que ce voyage dans le métro londonien, un premier et un dernier vrai départ, alors que nous nous étions toujours interdit de quitter notre réclusion partagée, oui, je suis certaine qu'il aurait approuvé mon idée de l'emmener avec moi et de le déposer au fond du lac d'Annecy, à l'endroit même où il se rendait une fois l'an, ce ne serait pas un enterrement, bien au contraire, mais comment appelle-t-on ces cérémonies qu'on organise à bord d'un navire quand il faut se débarrasser d'un mort, cela ne me revient pas ou je ne l'ai jamais su, j'ignore si l'on a créé un mot pour désigner ces adieux en haute mer, une expression que je pourrais reprendre à mon compte pour imaginer cet acte d'amour qui consiste à confier son homme à l'eau, pour laisser au moins son corps à un endroit qu'il a aimé, car son esprit, en suis-je la gardienne ou n'existe-t-il tout simplement plus ? J'aimerais ne pas être agnostique et connaître la réponse à toutes ces questions, mais je sais seulement avec certitude qu'aucune autorité au monde ne m'aurait permis de transporter le cadavre froid de James jusqu'à Talloires, là même où Cézanne avait séjourné en 1896, puis de louer un kayak qui m'aurait servi de corbillard, pour le laisser glisser, sans rien faire d'autre, le laisser glisser en toute douceur, au milieu de ce lac dont le bleu s'était fixé sur sa rétine lors d'un après-midi de sa jeunesse que son corps refusait d'oublier, mais tout comme il est interdit d'enterrer son bien-aimé au fond du jardin, aucun fonctionnaire ni français ni anglais ne m'aurait autorisé ce dernier geste d'amour, le silence de l'eau à la place de ces notes de piano qui résonneront tout à l'heure, et le fond du lac dans lequel se reflètent les falaises du mont Veyrier ou du Semnoz comme dernier tombeau plutôt qu'un cercueil en bois clair, dans une église remplie jusqu'au dernier banc par tout ce que le petit monde des médias et de la musique compte de têtes plus ou moins illustres. Être célèbre, James s'en souciait si peu, il pouvait être vaniteux, certes, mais sans jamais être dupe et je sais qu'il aurait tout donné pour qu'une de ses compositions soit jouée un jour, il aurait renoncé avec joie à sa petite gloire télévisuelle qui faisait que les gens le reconnaissaient dans la rue, cela ne lui aurait pas manqué, si ses interventions dans les émissions de la BBC devaient s'arrêter, son job consistait à vulgariser une notion de musique classique ou rendre hommage à un musicien disparu, quelle ironie de voir que James a certainement dû écrire par avance les nécrologies de la moitié des gens qui vont assister aujourd'hui à son enterrement, des gens qui ne savent rien des quatuors à cordes et sonates pour piano qui dorment dans ses tiroirs, heureusement que je possède déjà une copie de son cycle de lieder dans sa transcription pour piano, il avait conscience que son statut de « monsieur Classique » de la télévision compromettrait toute réception honnête d'une œuvre de sa main, et j'espère seulement que Wilkinson n'a pas décidé de faire disparaître ses partitions, car, même si James le lui avait demandé, ce serait un crime de ne pas lui donner cette chance posthume. Seulement comment faire – je ne suis même pas censée être au courant de l'existence de ces partitions, alors impossible de les demander tout de go à cet exécuteur testamentaire qui sort lui aussi d'une de ces zones d'ombre de la vie de James –, je suis condamnée au silence et au rôle de la célèbre pianiste qui rend hommage à ce formidable vulgarisateur de la musique classique, réduite à faire courir mes mains sur un Steinway qu'on aura hissé je ne sais comment sur une estrade, dans une église près de Holborn, à quelques dizaines de mètres seulement de là où nous nous cachions, cet appartement insonorisé où nous vivions comme des reclus volontaires pour faire l'amour, pour être ensemble, simplement, moi au piano, lui à son bureau ou nu sur le lit, à faire l'amour encore, par moments il me semble que cela prenait tout notre temps, littéralement, je pouvais le caresser pendant des heures, le mener au plaisir aussi lentement que possible, et Dieu qu'il aimait ça, je pensais que cela n'allait jamais finir, en tout cas je ne croyais pas que cela allait se terminer dans l'église Sainte-Cécile et Saint-Anselme, pourquoi cet endroit sinistre si près de notre lieu de jouissance, pourquoi une boîte en bois clair et du Brahms pour dire adieu ? Je n'arrive pas à m'y résoudre et je ne supporte vraiment plus cette robe, il faudra tenir pourtant, je ne peux décemment pas m'enfuir maintenant, ce métro va me tuer avant l'heure, mais quelle expression idiote, comme si l'heure de James était venue, rien de plus absurde, je n'arrive plus à penser tout droit, il aurait dû vivre encore des années dans mes bras au lieu d'oublier de respirer une nuit d'été, au petit matin. Nous ne nous étions jamais rien promis, les grandes déclarations n'ont jamais fait partie de notre répertoire, et il est inutile de toute façon de se jurer que l'on ne se sépare jamais quand c'est la mort qui s'en charge, seulement, la question qui me taraude maintenant est de savoir si notre bonheur était si parfait *grâce* à son caractère clandestin ou au contraire *malgré lui*, et depuis que le téléphone a sonné, avec Wilkinson à l'autre bout du fil, je me demande si cela m'aidera à vivre, maintenant que tout est fini, si toute cette théorie sur l'amour qu'on engrange et sur lequel on peut s'appuyer n'est pas une belle invention pour consoler les endeuillés comme moi, avec cette circonstance aggravante (on dirait que je parle d'un meurtre) d'être condamnée à un deuil clandestin, et qui peut me dire s'il sera plus facile pour moi de garder mon chagrin secret que cela n'a été le cas de mon bonheur, je veux croire qu'ils sont hors normes tous les deux, mais je doute qu'il suffise de répéter qu'on a de la chance – que j'ai eu de la chance en rencontrant James – pour vivre mieux après sa disparition, quand on sait que cette vie sans l'être aimé risque d'être longue, si longue. J'ai toujours détesté cette expression « espérance de vie », mais si je me tiens à la réalité qu'elle recouvre, je dois reconnaître que la mienne est grande, si je ne me fais pas écraser un jour en sortant de chez moi et si je résiste à la tentation de me jeter devant un train en rentrant tout à l'heure, j'aurai encore de longues années à vivre, des décennies, ô mon Dieu, comme cette idée me fait horreur, cette multiplication de jours sans lui, vides, car sans but : aucun rendez-vous clandestin ne viendra donner sens à mon quotidien, aucune promesse de félicité ne ponctuera mon existence d'épouse rangée et de pianiste à la retraite, d'ailleurs je me demande si je ne devrais pas rompre mon vœu et sortir de mon silence, un enregistrement est toujours possible, je suis sûre que le directeur artistique de la Deutsche Grammophon sera ravi si je lui propose de signer un nouveau contrat, *la Greta Garbo du piano* est de retour, quel événement médiatique et quelle victoire pour lui de pouvoir se vanter de m'avoir fait revenir dans un studio, même s'il devra payer le prix fort et avaler le programme de mon choix, et au diable Brahms, Rachmaninov et Chopin, je veux du Rameau, du Bach, du Scarlatti peut-être, l'idée de toute cette cuisine romantique faite d'arpèges, de glissandos et surtout de tout ce rubato m'est devenue insupportable, j'ai besoin d'entendre que mon piano danse, qu'il survole des gigues et des gavottes, qu'il sonne comme un tambour et un fifrelin pour me faire oublier tout ce *Weltschmerz*, au diable les romantiques et leurs enfants, je n'ai pas besoin qu'on me rappelle que c'est l'enterrement de James Fletcher qui aura permis la résurrection de la grande Viviane Craig, mieux encore, sa transformation en vraie musicienne, loin de l'image de l'interprète mystérieuse et impénétrable au sourire énigmatique et à la passion à peine domptée. Je serai de retour, auréolée de ce passé et illuminée par une nouvelle aventure, puis j'utiliserai sans le moindre scrupule cette réputation pour convaincre une jeune étoile montante du circuit lyrique d'enregistrer le cycle écrit par James, un disque pour l'éternité, et pourquoi pas un récital à Wigmore, à l'endroit même où tout a commencé, comme il disait, et personne ne comprendra que c'est seulement une façon de dire mes regrets, ou de les faire oublier en jouant, je ne sais pas, cette douleur que pourtant rien n'effacera, ce remords brûlant de ne lui avoir pas dit, d'avoir attendu trop longtemps, me croyant à l'abri du temps et de la mort, et maintenant, je suis réduite au rôle de la femme perdue non pas par sa faute ou ses péchés, non, perdue, anéantie par ce *trop tard* qui résonne dans tout mon corps comme une condamnation à perpétuité, une prisonnière qui jamais plus ne pourra dire à l'être aimé qu'il l'a été sans conditions et sans limites, les gens appellent ça l'amour absolu, je crois, même si je ne comprendrai jamais ce que cette expression signifie, James n'était pas absolu, il était concret, il était la peau que je touchais, le sexe que je faisais bander et la bouche que j'embrassais, il était ce demi-sourire sous un nez cassé et cette voix claire à l'accent du Nord qui revenait parfois chasser sa diction façon BBC quand il était fatigué, il était la seule personne au monde à me donner le sentiment que tout était parfaitement en ordre, que j'étais à ma place, et que j'étais quelqu'un moi aussi, et pas seulement l'idée que les autres se faisaient de moi depuis que j'étais devenue la *prophétesse*, la *sauvageonne*, puis *la Greta Garbo du piano* aux yeux du monde, mais le plus étonnant ou le plus scandaleux, je ne sais pas, vient de cette certitude d'avoir été au bon endroit en étant avec lui alors que la morale, les conventions et toutes les lois de ce pays m'accusent, moi la femme adultère, la menteuse, la dissimulatrice. Pire encore, parfois je me demande si Laura a connu un tel amour ne serait-ce que quelques minutes avant de terminer sa courte vie en chutant comme une idiote dans sa douche, cette idée qu'elle aurait tout de même eu cette chance de rencontrer une personne pour lui faire connaître cette sensation de plénitude, va savoir, peut-être ce taiseux de Gabriel était vraiment l'homme à le lui offrir malgré les apparences, j'ai appris à me méfier des façades, en tout cas ce souhait posthume me console parfois un peu de son absence, comment ne pas espérer qu'elle ait connu ce bonheur elle aussi, cette bénédiction d'avoir été aimée, et voilà que je me mets à délirer en termes religieux, moi qui crois en la justesse des mots et des notes plutôt qu'à la justice divine, mais je veux bien me faire religieuse si cela fait revenir James d'entre les morts. Je devrai aussi demander à Wilkinson le lieu de la sépulture, non pas que je sois obsédée par l'idée de mettre des fleurs sur une tombe, non, je ferai simplement le pèlerinage de Talloires une fois par an, le jour de sa mort – en juin le lac doit être aussi beau et calme qu'en septembre –, et je trouverai bien quoi faire pour apaiser mon esprit en charpie, me laisser glisser nue dans l'eau peut-être, jeter une couronne de fleurs, comme Nehru l'a fait pour sa bien-aimée Lady Edwina, qui sait, et je me rends compte que je n'ai jamais demandé à James si les corps de ses parents ont été repêchés entre Douvres et Zeebruges, je suppose que la Manche n'a pas rendu beaucoup de victimes du *Herald of Free Enterprise* qui s'est rempli d'eau avant de chavirer, quelqu'un avait été trop pressé pour vérifier si l'arrière du ferry avait bien été fermé, je me souviens encore de la une des journaux, même si je ne connaissais pas encore James et ignorais tout de la mort tragique de ses parents, j'avais été frappée comme tout le monde par le côté stupide de cette catastrophe et de tant de morts, une compagnie un peu trop avide et un capitaine pas très scrupuleux, comment imaginer un enchaînement aussi idiot et dramatique à la fois, mais je n'ai jamais su comment aborder le sujet avec James et je dois avouer que j'ai parfois pensé qu'il n'était pas mécontent de ne plus avoir ses parents, non pas qu'il leur ait souhaité une mort aussi atroce évidemment, je n'ai aucun élément pour l'accuser d'un tel désir, mais j'ai tout de même perçu dans sa voix un soupçon de fatalisme, les rares fois où il évoquait cette absence, en tout cas il ne le faisait pas souvent et certainement jamais d'un air triste ou accablé, on n'ose jamais parler de cette liberté que nous procure la mort de nos parents, le tabou social a bien résisté, il demeure bien plus fort que ne serait l'expression libre de ce soulagement que tant de gens doivent ressentir quand le poids de l'ascendance leur est enlevé et quand ils sont enfin débarrassés du regard censeur des aînés qui nous accompagne ou, comme dans le cas de James, nous rappelle d'où nous venons, cette ambivalence est rarement audible ou, plutôt, elle l'est seulement quand nous sommes dans le profond silence de nos solitudes, au creux de la nuit ou au petit matin, en dedans de nous-mêmes, quand la honte n'a plus droit de cité, et pour certains c'est peut-être l'écoute d'un psychanalyste qui libère l'inavouable soulagement de n'avoir plus de parents – ce n'est pas le confessionnal d'un prêtre qui aurait ce pouvoir, c'est certain –, de ne plus vivre exposés à leur jugement, qu'il soit explicite ou fantasmé, et les origines modestes de James étaient si éloignées de l'homme sophistiqué qu'il était devenu que je me suis souvent posé la question de savoir si cette victoire sur la misère et l'inculture ne signifiait pas en même temps une douleur pour lui, cette difficulté qui consiste à mettre mal à l'aise ceux avec qui nous avons partagé notre enfance lorsqu'ils se rendent compte qu'ils ne rentrent plus, ou mal, dans le cadre de notre nouvelle vie, surtout quand nous avons modifié jusqu'à notre façon de parler et notre accent. Je n'ai pas connu ces ruptures, l'aisance financière et culturelle de mes parents et grands-parents m'a permis de glisser sans heurts de l'univers protégé de l'enfance et de l'adolescence vers le monde ouvert à tous les vents de l'âge adulte et de me sentir chez moi dans tous les milieux ou presque, et cela nonobstant mon besoin récurrent de me défaire de toute compagnie humaine, et quand je pense à ces accès de sauvagerie il paraît si improbable que James ait pu susciter ce désir en moi, ce besoin de sentir son bras sur ma hanche en m'endor-mant, cette envie de me laisser caresser par lui, encore et encore, et de lui rendre la pareille par tous les moyens jusqu'à pouvoir lire dans ses yeux que j'avais réussi à faire chanter son corps, tout comme il avait fait vibrer le mien, et cette jouissance me manquera jusqu'à mon dernier souffle et c'est elle que je vais devoir enterrer tout à l'heure en jouant du Brahms, c'est ma vie à moi et pas seulement celle de James qui s'est évanouie dans cette apnée et maintenant je dois vivre avec un souvenir – je ne sais pas si je suis aussi douée que Sebastian pour avancer un pied dans le passé et un autre dans le présent. Car même si nous avons préféré garder le silence tous les deux sur cette césure survenue en 1972, j'ai la conviction qu'il est revenu de ce repor-tage à Munich avec autre chose que le seul trau-matisme de Septembre noir en tête, je l'ai su tout de suite en l'accueillant le jour de son retour, il était plus grand, plus beau, et différent, oui, diffé-rent, habité par une douleur et une joie immenses et mêlées qui n'avaient rien à voir avec moi, je l'ai vu sur sa figure quand il est entré dans le salon, j'étais au piano, et j'en ai ressenti une grande jalousie, immédiatement, une jalousie vive et mordante, mais je sentais aussi que je n'avais pas le droit de lui poser la moindre question si je ne voulais pas tout casser entre nous, et au bout de quelques semaines je me suis rendu compte que j'étais jalouse non pas de ce qu'il avait pu vivre pendant ces quelques jours olympiques, mais jalouse du fait même qu'il avait vécu un événement si bouleversant qu'il m'était revenu avec cette expression sur son visage, car lui, j'en étais convaincue, avait trouvé une émotion que je ne connaîtrais jamais, la félicité, le bonheur absolu, que sais-je, l'enfer de l'absence aussi, je l'ignorais, réduite à des spéculations, et même si ensuite il a été un peu plus distrait qu'avant cette mission dans la capitale bavaroise, sans laisser rien paraître d'autre, je le regardais différemment désormais, comme un homme possédant un secret, beau et sombre, un homme condamné à marcher à cloche-pied pour garder l'équilibre, tiraillé par la brûlure qui ne veut pas s'éloigner et l'obligation d'avancer malgré tout. Je ne saurai jamais quel trésor enfoui au fond de son âme a fait de lui l'homme qu'il est devenu, mari, père et grand-père, mais je crois que je l'ai aimé pour cela aussi, autrement que James bien sûr, mais il existe tant de manières d'aimer un homme, et si Sebastian ne m'a jamais apporté cette épiphanie de la grâce absolue que m'ont procurée le regard et les doigts de James, il a été ce compagnon me permettant d'endurer cette chienne de vie envers et contre tout, et de jouer, jouer encore, sur ce fichu piano, en puisant dans ma détestation du monde autant que dans ce sombre espoir qui m'habitait moi aussi, cette espérance de voir un jour mon cœur s'emplir du même miel, de cette même ivresse que Sebastian avait trouvés à Munich. Et quand cela est arrivé, j'ai ressenti une nouvelle tendresse pour lui, comme s'il n'était plus tout à fait aussi seul avec sa blessure secrète, cette fêlure qui était en même temps sa bénédiction, mais aussi comme si nous faisions désormais partie du même groupe d'élus, de ceux qui tirent une leçon de ce trop-plein de misère et de béatitude, pour donner un sens à tout ce chaos... mon Dieu, si j'avais essayé de partager ces pensées avec James, ne serait-ce qu'un dixième de toutes ces idioties, il serait parti dans un grand éclat de rire et m'aurait prise dans ses bras, mais ça y est, on annonce Holborn comme prochain arrêt, on va y arriver dans quelques secondes et je me mets à penser à *mes deux hommes* dans un seul souffle plutôt que de me préparer à faire courir mes doigts sur ce piano voulu par James, je ne sais vraiment plus du tout ce qui m'arrive, à force d'avoir laissé mon esprit vagabonder dans cette rame de métro bondée, il n'y avait personne ni pour m'aider ni pour deviner mes pensées, heureusement je suis en train de remonter pour de bon, je deviendrais folle sinon, maintenant j'ai juste envie de mettre ces cinq minutes de Brahms derrière moi, que ce soit fini, je veux rentrer chez moi et arracher cette robe noire trop chaude, la mettre à la poubelle, et tant pis si Sebas-

tian me prend pour une hystérique, je lui annonce-
rai que j'ai décidé d'enregistrer un nouveau disque
le plus tôt possible, pourquoi pas les *Partitas* de
Bach, j'aurai ces six pièces pour clavier comme
seule raison d'être, il faudra bien que cela suffise
jusqu'à juin prochain quand j'irai voir le bleu du
lac de mes propres yeux, et pas la version Cézanne
à la galerie Courtauld, non, quand je me laisserai
glisser pour de bon moi aussi dans cette immensité
que James aimait tant, et ce sera à moi de refaire
ce geste à sa place, pour lui rendre hommage si
cela a un sens, ou si ce n'est pas le cas, trouver
simplement un endroit où aller avec mon chagrin,
le perdre quelques instants dans cet infini bleu.
Quand je lève la tête, je me rends compte qu'il
fait beau, le ciel londonien a fait au mieux pour
James, il faut croire, et quelle libération d'être enfin
sortie de ce métro, je vais reprendre ma respiration
maintenant, c'est à quelques pas, pourvu que je ne
croise personne, car je serais incapable de faire la
conversation avec qui que ce soit, maintenant plus
que jamais, James se moquait de mes accès de
misanthropie, mais quand je n'avais pas envie de
parler, la musique emplissait l'espace, il est vrai
que James n'aimait pas le silence, mes silences, et
suivant son habitude, nous nous endormions en
écoutant un disque, la porte de la chambre entrou-
verte, le son nous parvenait depuis le salon, mais
voilà : je suis déjà en train de réécrire l'histoire
– comme si j'avais passé tant de nuits avec lui,
alors qu'en vérité il y a eu beaucoup d'après-midi
volés et peu de couchers *en tant que couple*, notre

vie n'était pas celle d'un couple justement, même si je me plais à penser aujourd'hui plus encore qu'hier que James était l'homme de ma vie, mais est-ce que cela fait de nous autre chose qu'une femme et son amant ou un homme et sa maîtresse, je ne saurais le dire et quelle importance maintenant que je m'apprête à l'enfermer dans une boîte en bois clair ? Plus je pense à cette idée que James sera bientôt enterré, plus je suis convaincue qu'il aurait aimé des obsèques en mer – ou en eau douce si une telle chose existe –, être confié à l'eau plutôt qu'à la terre en tout cas, j'ai lu quelque part qu'il existe des pompes funèbres spécialisées pour arranger ce genre d'immersion, et après tout, Lady Edwina Mountbatten a bien été jetée à la mer conformément à ses dernières volontés, pourquoi ce ne serait pas possible pour James, même si je ne possède pas les moyens de Nehru qui a envoyé un navire de guerre pour accompagner le dernier voyage de sa maîtresse, un tel privilège est réservé aux puissants de ce monde qui n'ont rien à craindre quand ils révèlent leur amour adultérin aux yeux de tous, moi je serai réduite à quelques minutes de piano solo et je dois imaginer le bleu du lac que mon amant aurait aimé connaître comme dernier horizon. Tout à coup je me rends compte que l'obsession de James autour des partitions perdues de son compositeur fétiche est encore une histoire d'eau, comme celle de la mort de ses parents, car le musicien à qui il a consacré tant d'années de recherche, le mythique Thomas Linley, génie précoce de la musique anglaise, s'est bien noyé à seulement vingt-deux ans si je me souviens bien, c'était dans un lac, d'ailleurs, d'après James, celui qui avait rencontré Mozart deux ans plus tôt savait jouer du violon et composer des airs enchanteurs pour sa soprano de sœur, mais il ne savait visiblement pas nager, car l'étang de Gramsthorpe ne peut pas être si grand ni si profond, alors que, même si les parents de James avaient été d'excellents nageurs, cela n'aurait sans doute rien changé à leur sort, la température de la Manche a dû mettre fin aux espoirs des plus vaillants nageurs parmi les passagers du *Herald of Free Enterprise*, l'eau peut être douce et accueillante ou froide et meurtrière, tout cela montre juste dans quel état de confusion je me trouve alors que je ne suis plus qu'à quelques pas de l'église et que je devrais m'éclaircir l'esprit plutôt que de penser aux amours scandaleuses de Lady Edwina et comment son amant le plus célèbre a pu honorer sa mémoire avec panache, car tout de même, une frégate pour escorter le bateau chargé de l'immersion en mer du Nord du corps de sa bien-aimée, ça a de l'allure et si je dois juger par l'impression que ce geste avait fait sur ma grand-mère, qui m'en a parlé tant de fois pendant mon enfance – à chaque fois qu'en cours d'histoire il était question de l'Inde –, et j'y ai repensé quand des années plus tard Lord Mountbatten fut assassiné, lui aussi a trouvé la mort sur l'eau, son bateau de pêche ayant été plastiqué par l'IRA quelque part près de la frontière, puis en lisant la biographie d'Edwina, j'étais moi aussi émue par cette mise en scène d'un amour qui se voulait au-dessus des lois et des convenances, ou plutôt qui l'était réellement, il a dû ébahir toute une génération par cette liberté affichée jusque dans la mort, et voilà que je me découvre jalouse de Nehru qui a pu crier au monde entier qu'il était indéfectiblement lié à la femme d'un autre, et je me demande ce qui m'empêche de faire là même chose pour James tout à l'heure – il n'était même pas marié à une autre femme, de surcroît –, alors, à bien y réfléchir, c'est sans doute ma propre morale étriquée qui m'empêche de faire savoir au monde entier que j'étais celle avec qui James… je ne peux même pas finir la phrase, car comment être sûre aujourd'hui, comment savoir qui j'étais pour James, il est certain en revanche que je suis en avance, je vais pouvoir me poser quelques instants sur un banc de Lincoln's Inn Fields, ou plutôt non, je devrais voir si Wilkinson ne fait pas déjà le pied de grue devant Sainte-Cécile et Saint-Anselme, ou l'inverse, je ne sais toujours pas dans quel ordre il faut mettre ces deux saints, je crois que James m'a parlé une seule fois de cette église où il a pourtant choisi d'organiser ses funérailles, et cela devait être pour me dire que la chapelle qui a préexisté à l'église actuelle, construite sous l'ère edwardienne, était un des rares lieux à Londres où les messes de Haydn et de Mozart ont pu être jouées, dans une ville par ailleurs si hostile à la musique liturgique catholique, fût-elle écrite par les plus grands génies, il était intarissable sur ce genre de sujets, un vrai puits de science, il aurait pu faire une belle carrière académique si la télévision ne l'avait pas happé et mis à profit son talent de conteur pour donner l'impression à monsieur et madame Tout-le-Monde qu'ils étaient de vrais connaisseurs en musique eux aussi, mais le fait de savoir que de grands musiciens ont joué du Mozart à l'emplacement exact où se trouve le piano à queue qui m'attend, hissé sur une mezzanine, ne va pas m'aider à me concentrer, je ferais mieux de regarder ma partition, je ne l'ai pas sortie de mon sac de tout ce trajet interminable, cela m'aurait peut-être évité de cogiter autant, et maintenant je n'ai plus envie de m'asseoir, je vais juste faire le tour du square et repartir en direction de l'église, l'heure, irrévocable, a sonné, mais sauf si je suis devenue complètement folle, je crois que j'aperçois Sebastian de l'autre côté du square, il ne manquait plus que ça, que peut-il bien faire ici, je le croyais en train de travailler à la maison sur son documentaire consacré à Lord Mountbatten et ses amours masculines, mon Dieu, oui, c'est bien lui, pas de doute, et impossible de faire demi-tour maintenant, il m'a certainement déjà vue, d'ailleurs, je pense que je vais avoir un fou rire, si tout cela doit tourner au vaudeville pour finir, genre le mari trompé fait un esclandre le jour des obsèques de son rival, cela devient grotesque, mais Sebastian ne sait rien, rien du tout, c'est impossible, pourquoi apparaît-il là subitement comme un diablotin sorti de sa boîte, en plus il me sourit, je vais tomber dans les pommes avant d'arriver à cette église, avant de pouvoir plaquer le moindre accord sous les yeux désapprobateurs de sainte Cécile, et voilà qu'il se met à marcher vers moi, je n'ai aucune idée de ce que je vais pouvoir inventer, il n'est plus qu'à quelques

mètres et il affiche toujours ce sourire miséricor-
dieux qui a le don de m'énerver, le voilà à moins
d'un mètre, « Je dois jouer du Brahms dans cette
église là-bas, dans quelques minutes, c'est juste au
bout de la rue », quelle idiote je suis de lui dire ça
à brûle-pourpoint, ni « Bonjour » ni « Qu'est-ce que
tu fais là ? », juste « Je dois jouer », il va me prendre
pour une écervelée, et pourquoi il vient de me dire
« Je sais, Viviane, je sais, tu dois jouer pour James »,
il me prend dans ses bras, je ne comprends plus
rien, mes jambes vont me lâcher et puis j'ai trop
chaud dans cette petite robe noire, Sebastian me
tient, heureusement, « Du Brahms, tu as toujours
interprété ça merveilleusement », il me fait avancer,
je m'appuie sur son bras et je l'entends parler, il a
toujours plus parlé que moi, parfois je n'arrive pas
à l'écouter, il appelle ça mon attention flottante,
mais là, je suis sûre de l'avoir entendu m'expliquer
qu'il est venu en voiture afin de pouvoir me rac-
compagner après, il savait que ce serait difficile
pour moi, les obsèques de James, mais il me dit
que tout ira bien, je dois aller au bout de ce que
j'ai à faire. « Tu l'as toujours fait, Viviane », je ne
sais pas pourquoi il me dit ça, il parle tellement,
mais il m'aide à marcher au moins, je ne suis pas
en retard finalement, nous voilà devant l'église. Je
dois jouer pour James maintenant.

RÉALISATION : NORD COMPO À VILLENEUVE-D'ASCQ
IMPRESSION : CPI FRANCE
DÉPÔT LÉGAL : AOÛT 2019. N° 142904 (3034241)
IMPRIMÉ EN FRANCE